KAZEKOBO'S FAVORITE

「PATTERNS」

風工房のお気に入り棒針模様 200

Contents

この本に関するご質問は、お電話またはWebで
書名／風工房のお気に入り　棒針模様200
本のコード／ NV70167
担当／毛糸だま編集部 曽我圭子
Tel：03-5261-5084（平日13：00〜17：00受付）
Webサイト「日本ヴォーグ社の本」http://book.nihonvogue.co.jp/
※サイト内（お問い合わせ）からお入りください。（終日受付）
（注）Webでのお問い合わせはパソコン専用となります。

棒針編みを始めた頃は、記号図の読み方が解らず、
もっぱら表メリヤス編み、裏メリヤス編み、ガーター編み、かのこ編み、ゴム編みでデザインをしていました。

70年代のフランスの週刊誌に素敵なニットが載っていて、編み方を知りたくて辞書と首っ引きで解読したりもしました。
記号の意味が解るようになってからは、編み地の写真を見て、記号のように編むと同じ模様が編めることにワクワクしました。

一本の糸を編むことで面ができ、表目と裏目、交差を編むことでレリーフ状に模様ができあがる。
2目一度で編み、糸をかけると穴あきの模様になり、それを繰り返すとレース模様になる。
試し編みをする度に、何か新しい発見があり、面白くて、編むのが止まらなくなります。

模様は現在まで、沢山の人によって生み出され、変化し、伝わってきました。
これからも、美しいものを作りたいという人々の欲求で、一本の糸から無限に模様が生まれることでしょう。
その中で、普遍性のある模様は残り、いつまでも愛されるのだと思います。

皆様にも、編むことの楽しさを満喫していただけたら、とても嬉しいです。

風工房

When I started knitting, I couldn't follow Japanese knitting patterns.
Stockinette stitch, garter stitch, moss stitch and rib knitting were all I could manage.
I made all of my designs using those.

In the 1970's I saw a beautiful design in a French weekly magazine. How was it knitted?
I picked up my dictionary and slowly worked it out.
When I started to learn the knitting symbols used in Japanese patterns, a door suddenly opened.
I was thrilled when the same patterns in the book appeared in front of my eyes.

Knitting is a kind of magic that is created from one thread, and that one thread can conjure up simple flat surfaces
through to the most complex relief effects, or create delicate lace.
Each time I make a new swatch I find something new, and often I get so engrossed I can't stop knitting.

When I think of all the knitting patterns that have been created over the years - some are timeless, some go out of fashion,
but excellent patterns will always be cherished.

If I can share my excitement and pleasure in knitting with you, I will be delighted.

Knit & Purl

表目と裏目

Instructions on page 117

Knit & Purl

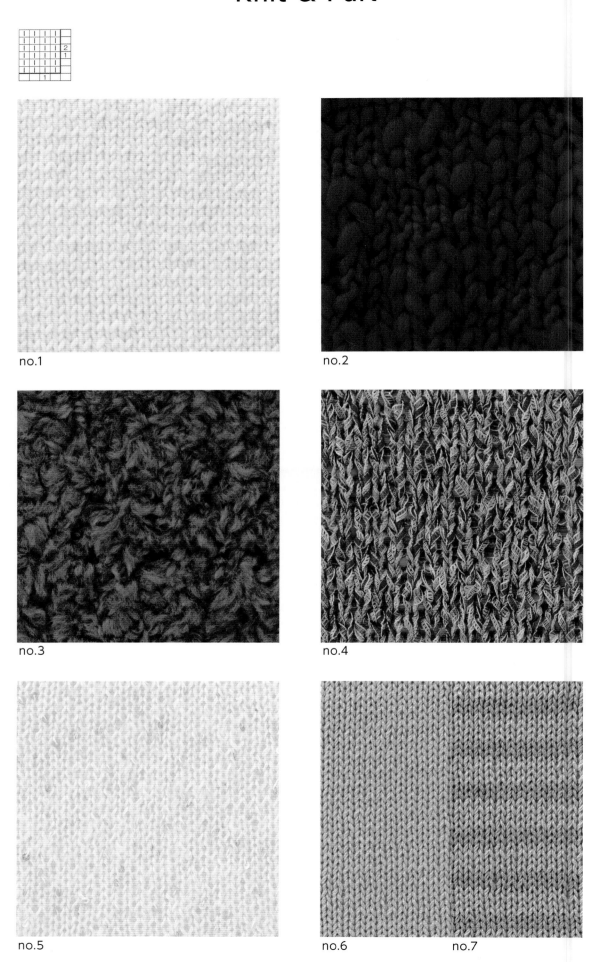

no.1

no.2

no.3

no.4

no.5

no.6   no.7

※no.6、no.7の記号図→Page 121

Knit & Purl

記号図→page 121

no.8

メリヤス編みの編み地は、編み始めと編み終わりは表目の側、脇は裏目の側に丸まる性質があります。四角の編み地の角だけをとめ、市松模様に並べたら、自然にできるカーブで面白い模様になりました。

記号図→page 121

Stockinette stitch tends to curl towards the right side for the bottom and top of the work and both sides towards the wrong side. Squares joined only at the corners create a natural curve.
See chart on page 121

Knit & Purl

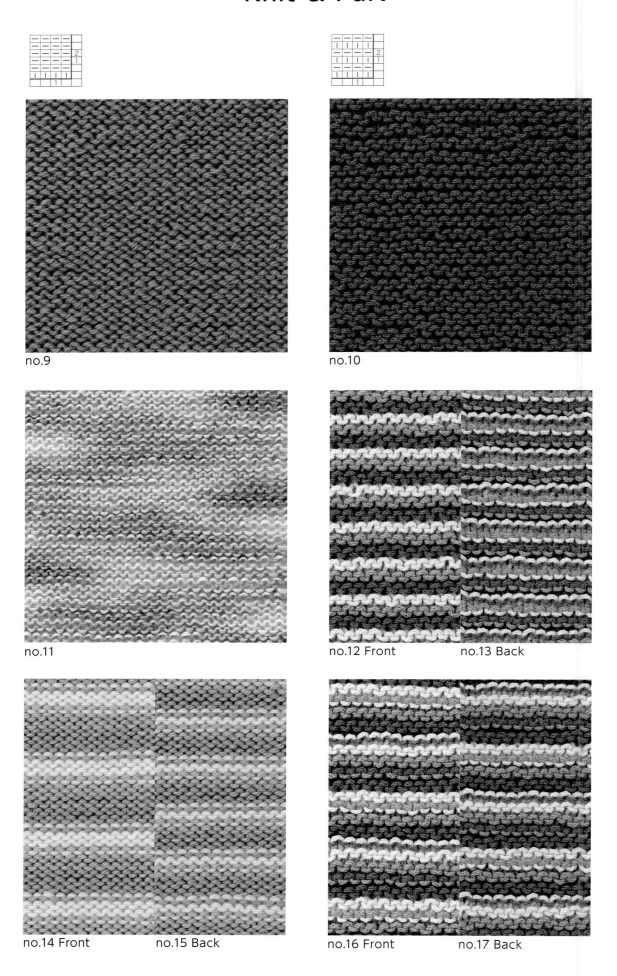

no.9

no.10

no.11

no.12 Front   no.13 Back

no.14 Front   no.15 Back

no.16 Front   no.17 Back

※ no.12〜no.17の記号図→Page 121

Knit & Purl

no.18
ガーター編み、メリヤス編み、裏メリヤス編み2
段の模様は、畝になり、シンプルなのにとても
存在感があります。組み合せるだけで不思議な
リズムが生まれ、モダンな編み地になりました。
記号図→page 122

Garter stitch, two rows of stockinette
and two rows of reverse stockinette
create ridges that are simple but having
strong impact.The combination gives a
unique rhythm to the pattern, adding a
modern taste.
See chart on page 122

Knit & Purl

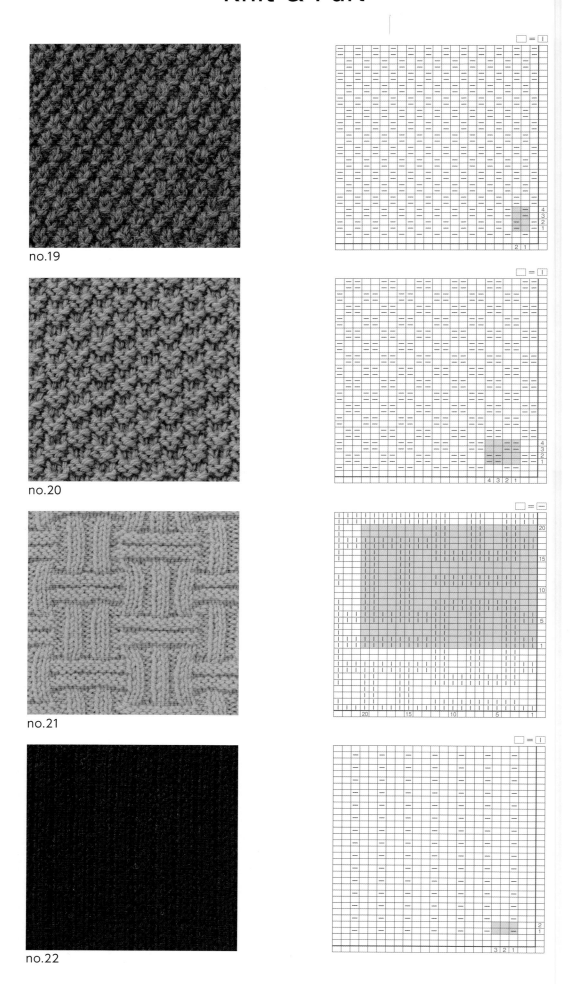

no.19

no.20

no.21

no.22

no.23
ブロックとケーブルで構成した模様です。かのこ、Ｖ字、斜め、ガーター編みの縞、市松などの模様を入れました。間を区切る裏メリヤス編みが畝を作り、模様を際立たせます。
記号図→page 122

A pattern made up of blocks and cables, with seed stitch, V-shape, diagonal and garter borders and checkerboard patterns. Reverse stockinette separates the different sections by creating ridges.
See chart on page 122

Knit & Purl

no.24

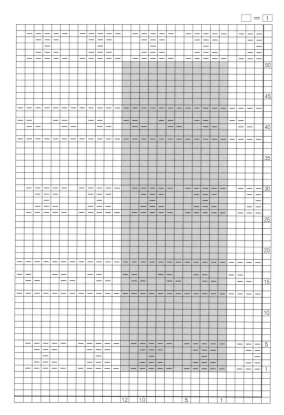

no.25

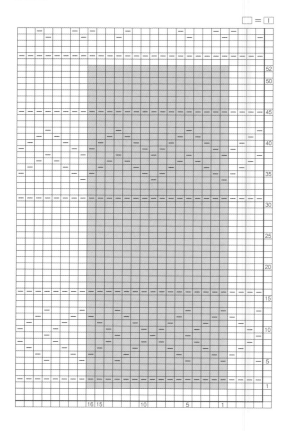

Knit & Purl

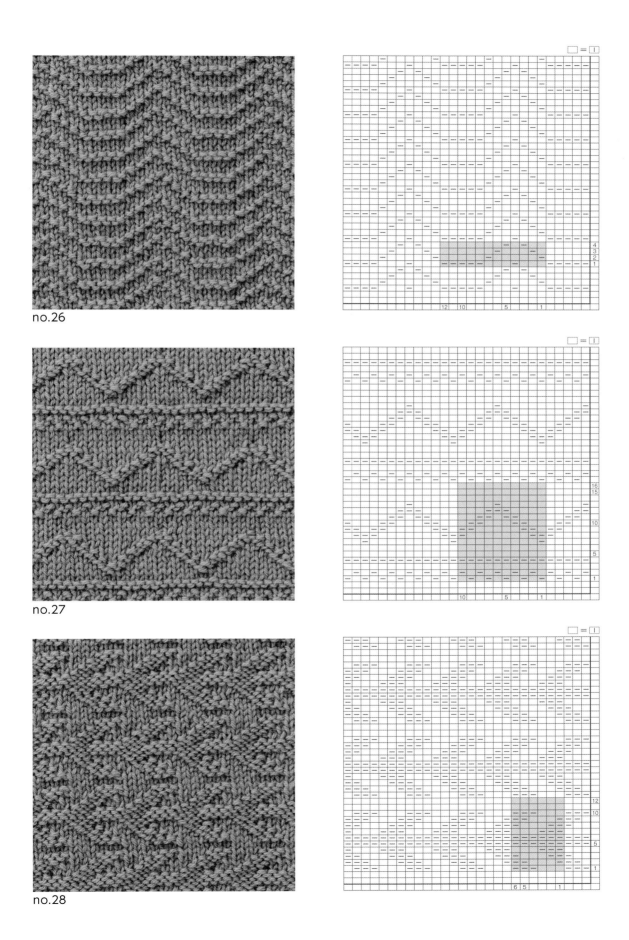

no.26

no.27

no.28

Knit & Purl

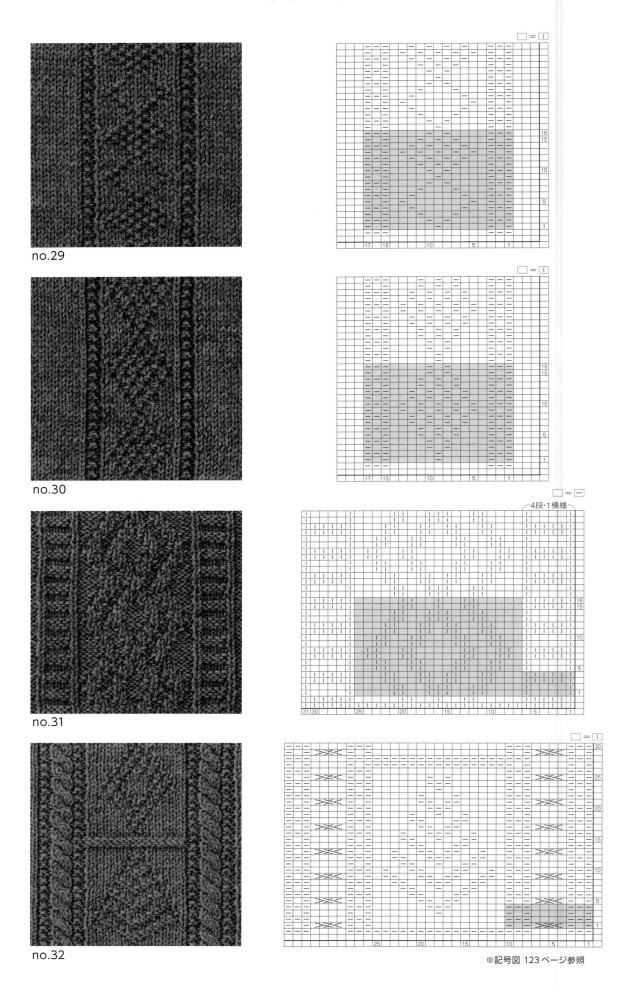

no.29

no.30

no.31

no.32

※記号図 123 ページ参照

Knit & Purl

no.33
ダイヤ、ジグザグ、かのこのダイヤ、ヘリンボーン
などのガーンジー模様を組み合わせ、間にケー
ブルを入れました。幾何学模様と交差のうねり
が引き立て合った、シンプルで美しい模様です。
記号図→page 122

Combination of Gansey patterns, with
cables placed between diamonds,
zigzags, seed stitch diamonds and her-
ringbone. The geometric patterns con-
trast well with the cables in this simple
but beautiful pattern.
See chart on page 122

Knit & Purl

Knit & Purl

記号図→page 16

no.34
ガーンジーセーターは、後で編み直すためなの
か、上部に模様を入れたものが多く見られます。
中心に生命の木を配置し、区切りに入れた裏目
とかのこで、縦の線が強く出ています。
記号図→page 16

Gansey sweaters often have patterns
placed on the upper part of the body,
possibly for them to be reworked. A
strong vertical line is created by placing
the Tree of Life at the center separated
by reverse stockinette and seed stitch.
See chart on page 16

Knit & Purl

no.35

no.36

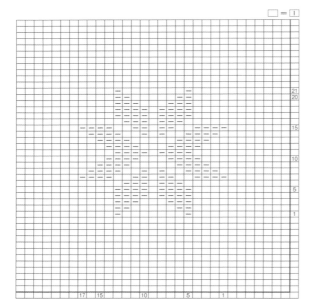

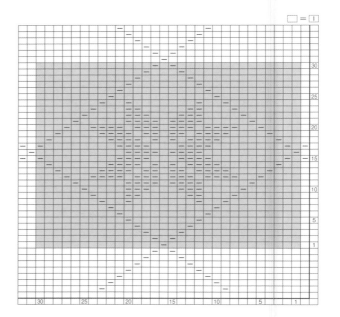

no.37
中央の模様は、メリヤス編みに裏メリヤス編み
で、ノルディックのエイトスターを表しています。
下はかのこ、上はブロック柄と、目数と段数を
変えるだけで、こんなに違う模様になります。
記号図→page 123

The traditional Eight Star worked in re-
verse stockinette against stockinette.
Seed stitch is placed underneath and
blocks are placed above. The patterns be-
come completely different just by chang-
ing the number of rows and stitches.
See chart on page 123

Knit & Purl

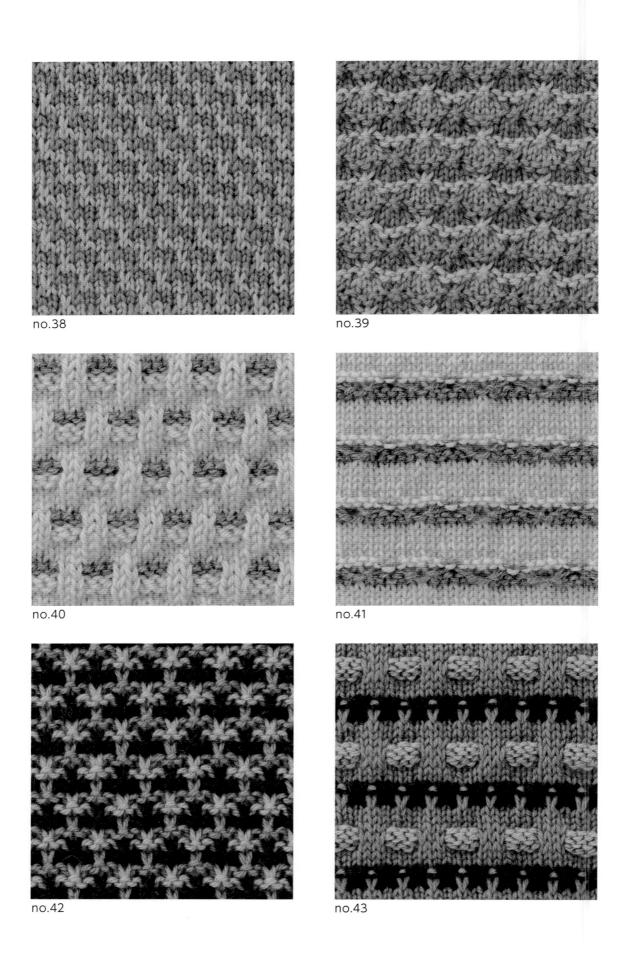

no.38

no.39

no.40

no.41

no.42

no.43

Knit & Purl

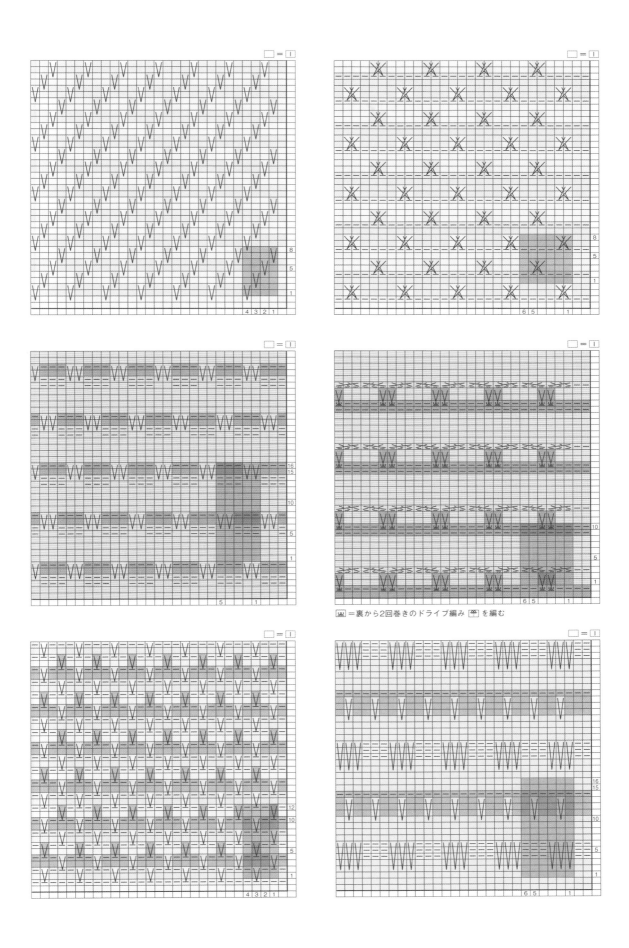

Knit & Purl

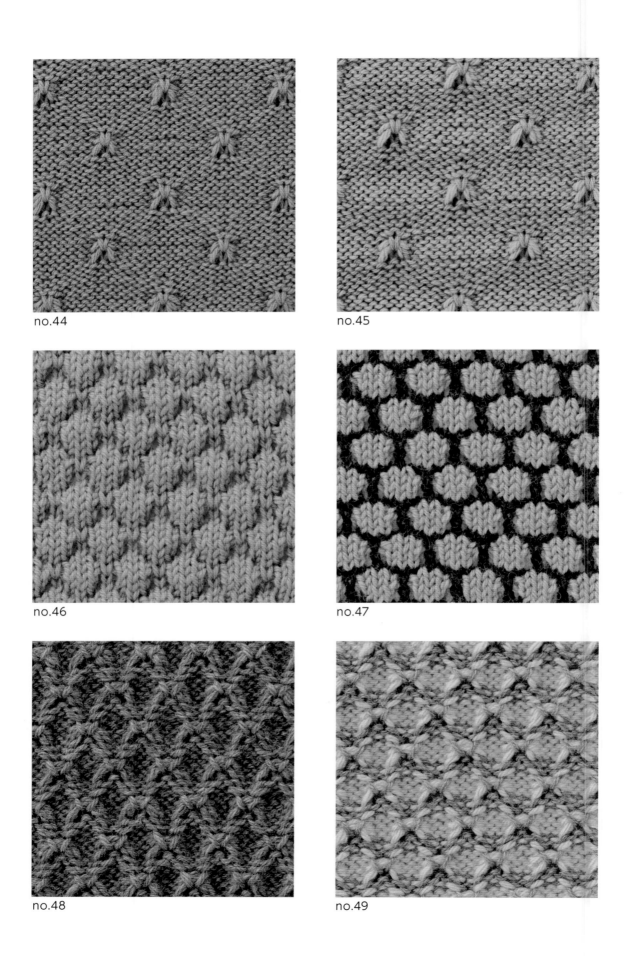

no.44

no.45

no.46

no.47

no.48

no.49

Knit & Purl

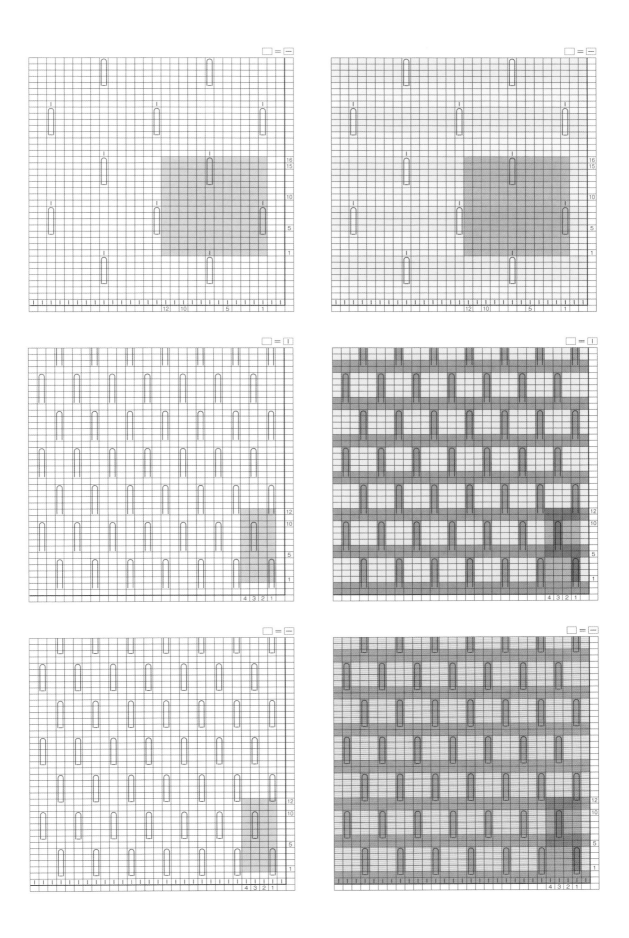

Lace
レース

Instructions on page 118

Lace

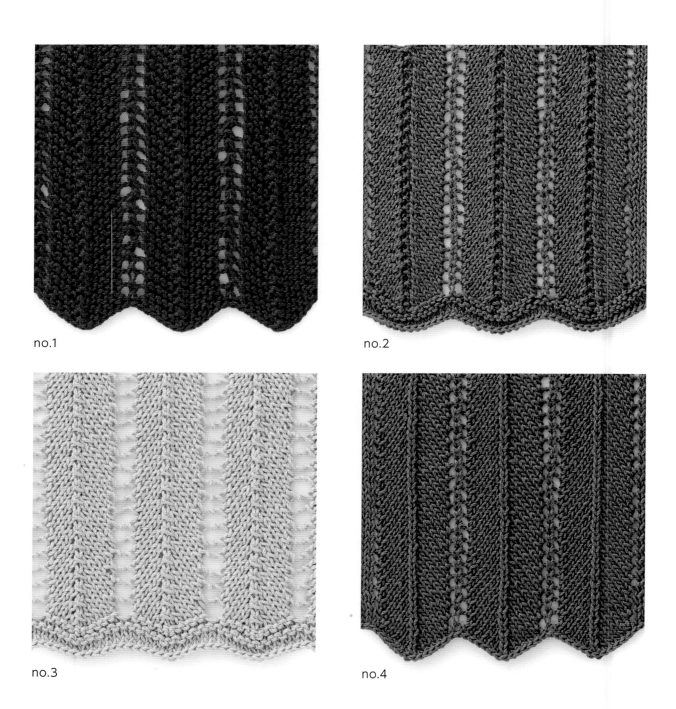

no.1

no.2

no.3

no.4

Lace

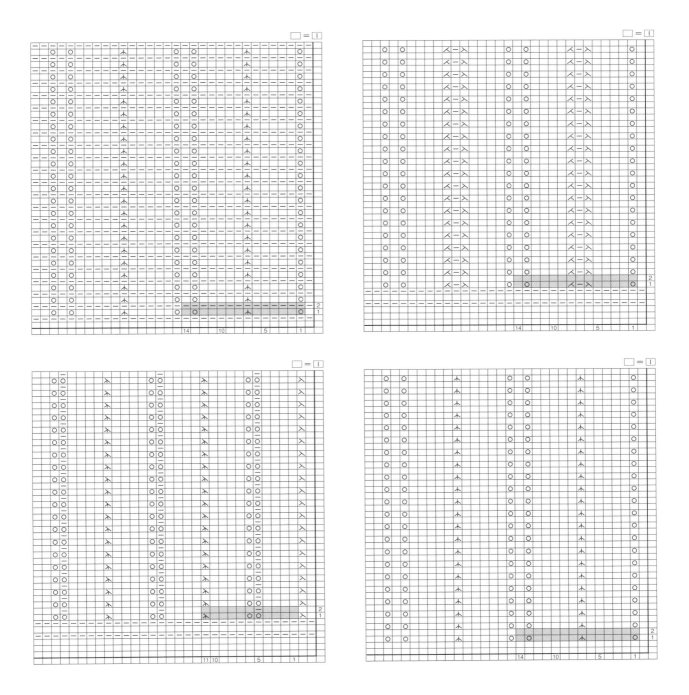

Lace

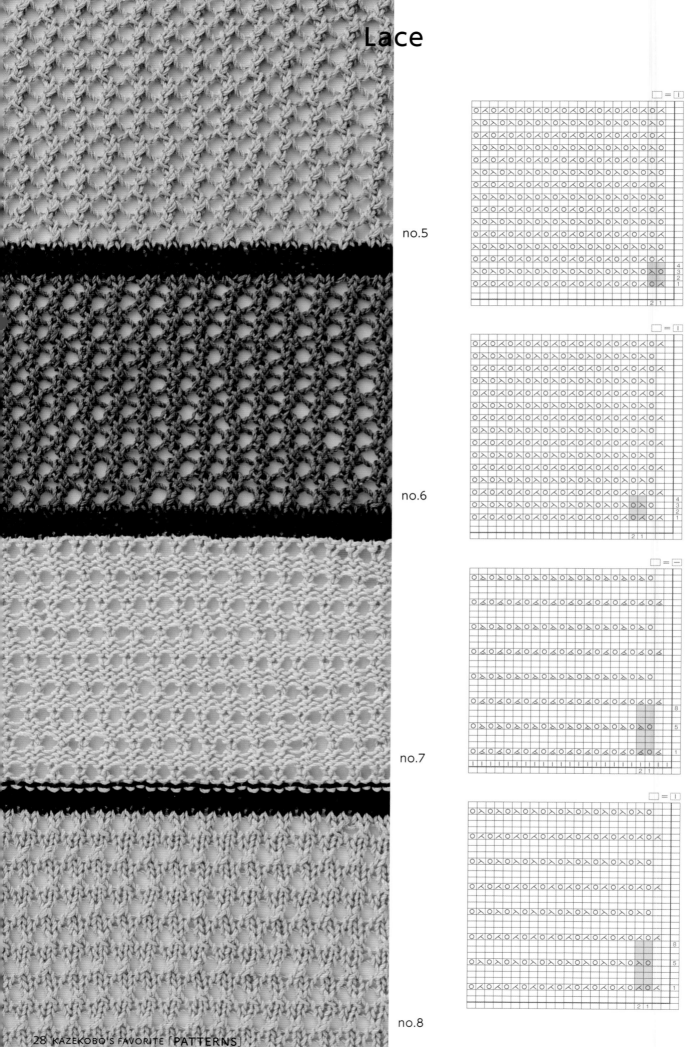

no.5

no.6

no.7

no.8

Lace

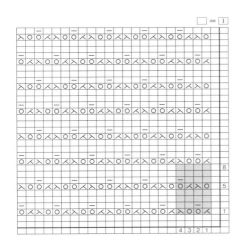

no.9

no.10

no.11

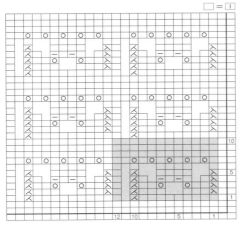

no.12

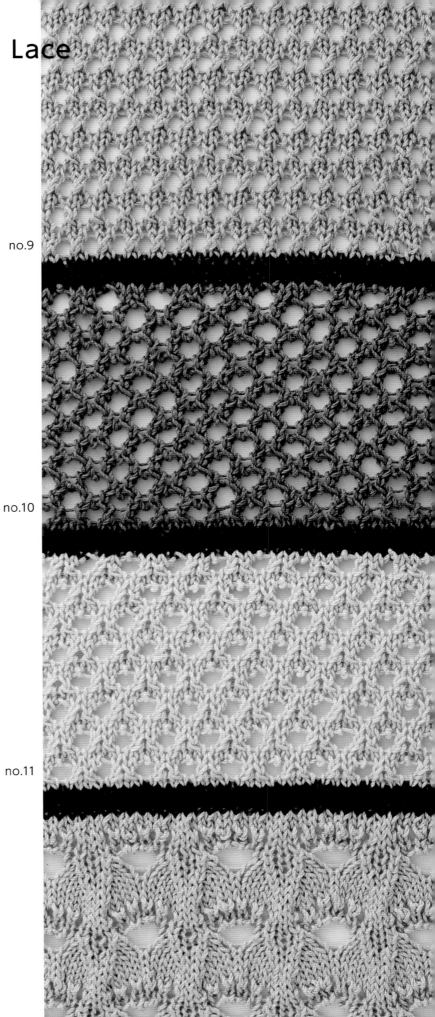

Lace

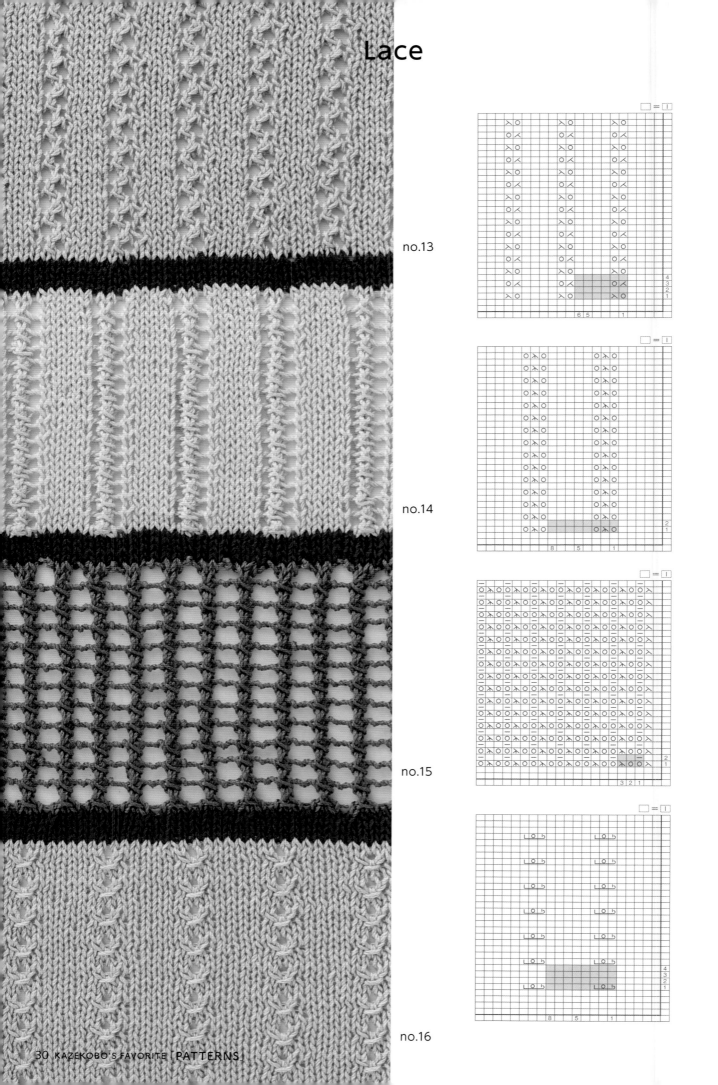

no.13

no.14

no.15

no.16

Lace

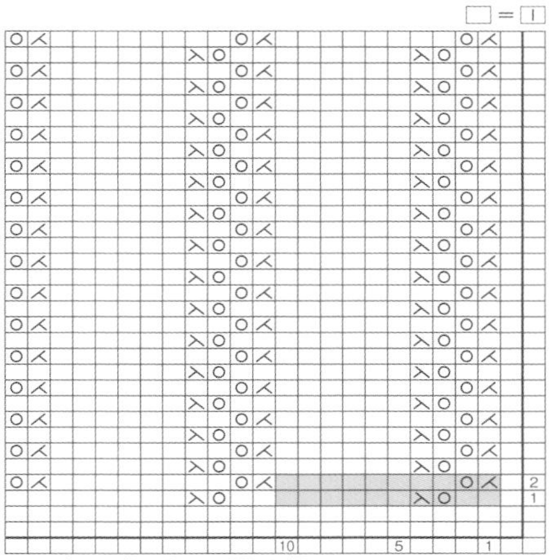

＝裏から編む段では を編む

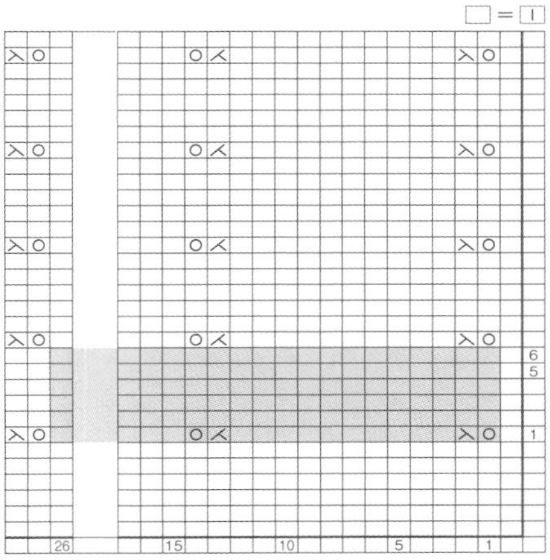

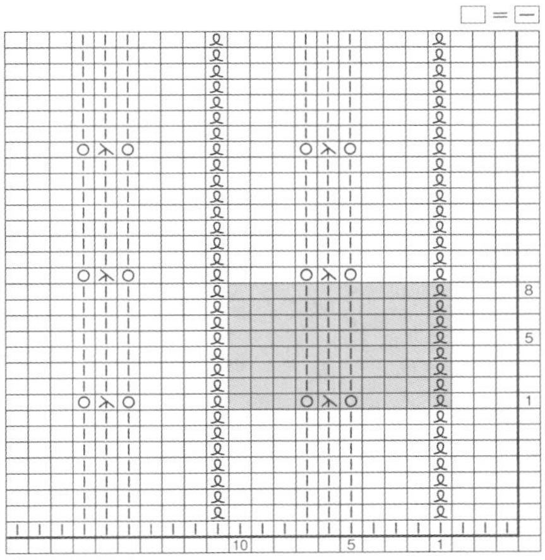

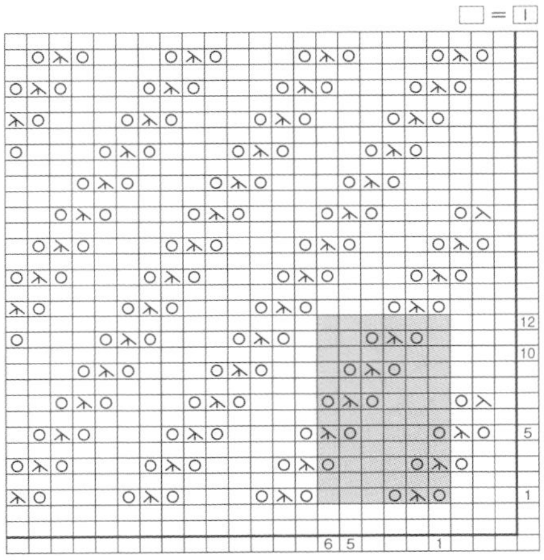

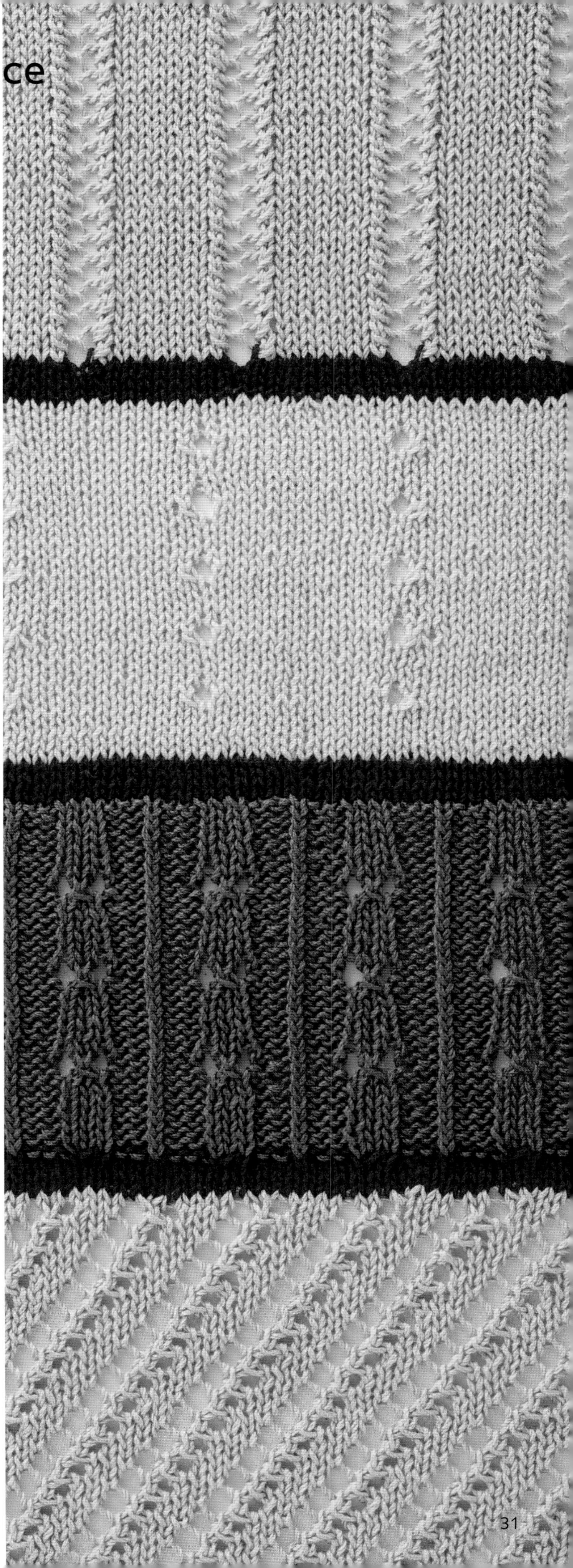

no.17

no.18

no.19

no.20

Lace

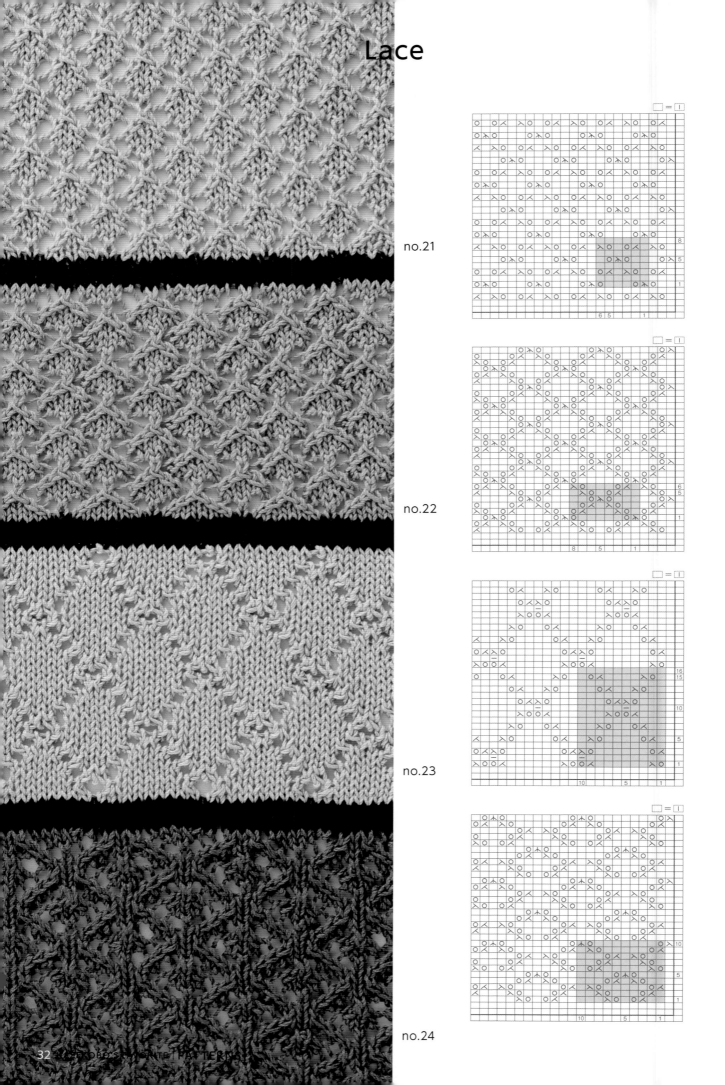

no.21

no.22

no.23

no.24

Lace

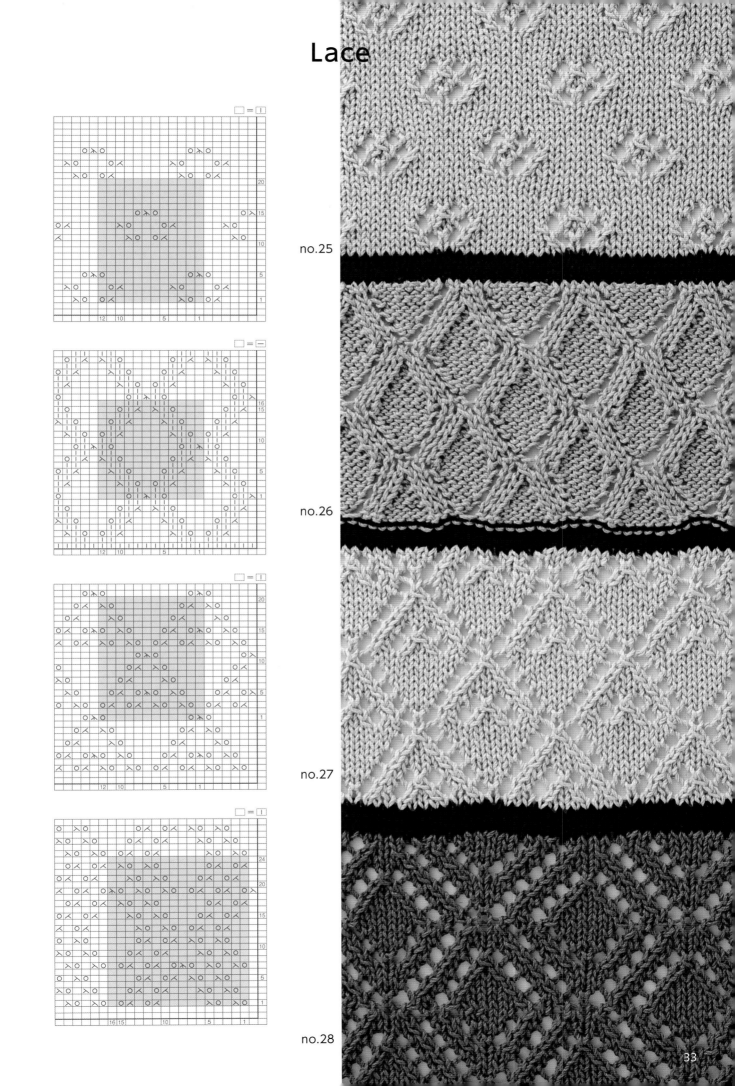

no.25

no.26

no.27

no.28

Lace

※no.29〜no.32の記号図→Page 36

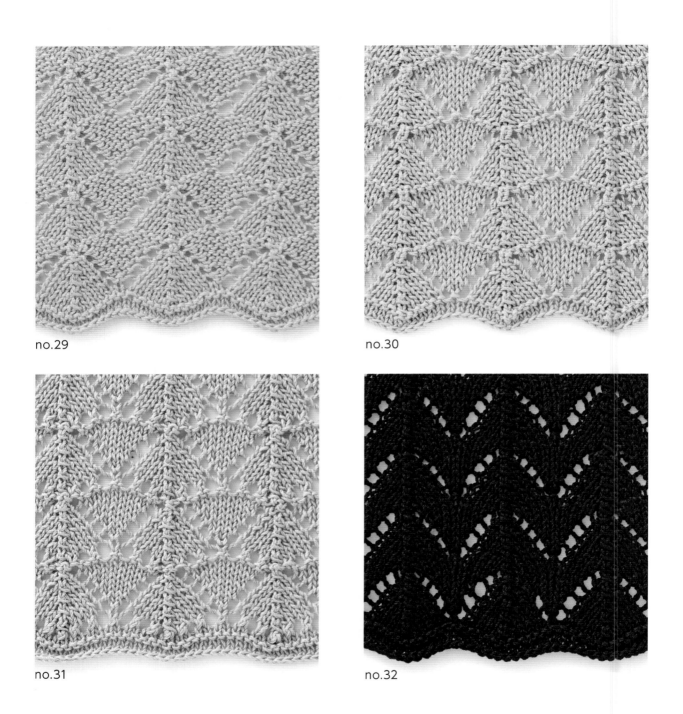

no.29

no.30

no.31

no.32

Lace

no.33

no.34

no.35

※no.33〜no.35の記号図→Page 37

Lace

no.29
page 34

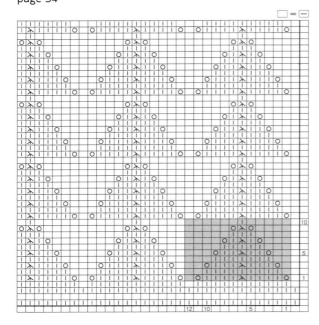

no.30
page 34

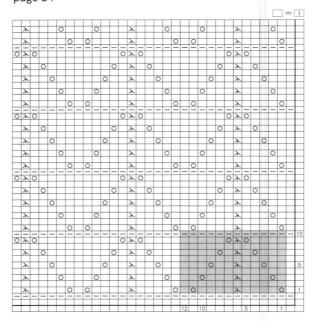

no.31
page 34

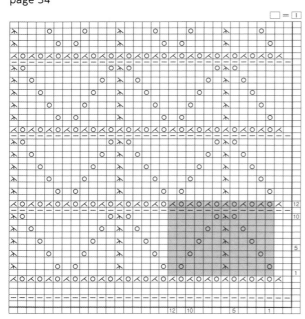

no.32
page 34

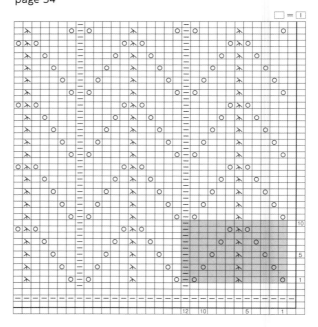

Lace

no.33
page 35

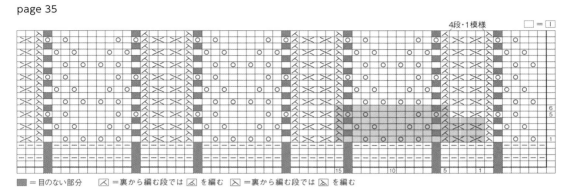

4段・1模様　　□＝□

■＝目のない部分　　⊠＝裏から編む段では ⊠ を編む　　⊠＝裏から編む段では ⊠ を編む

no.34
page 35

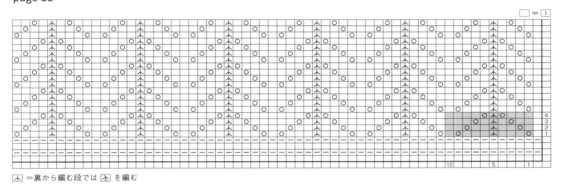

□＝□

本＝裏から編む段では 本 を編む

no.35
page 35

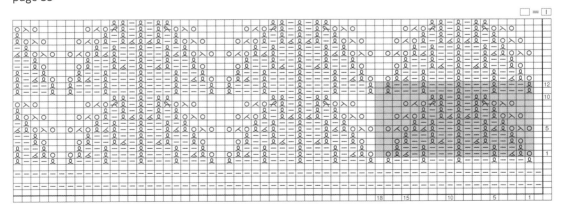

□＝□

Lace

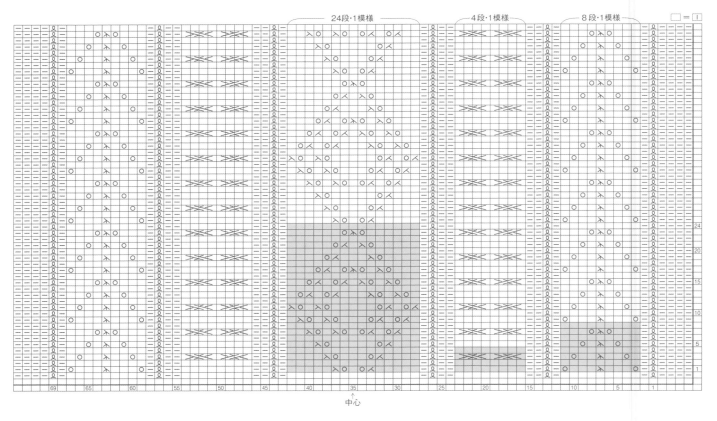

no.36

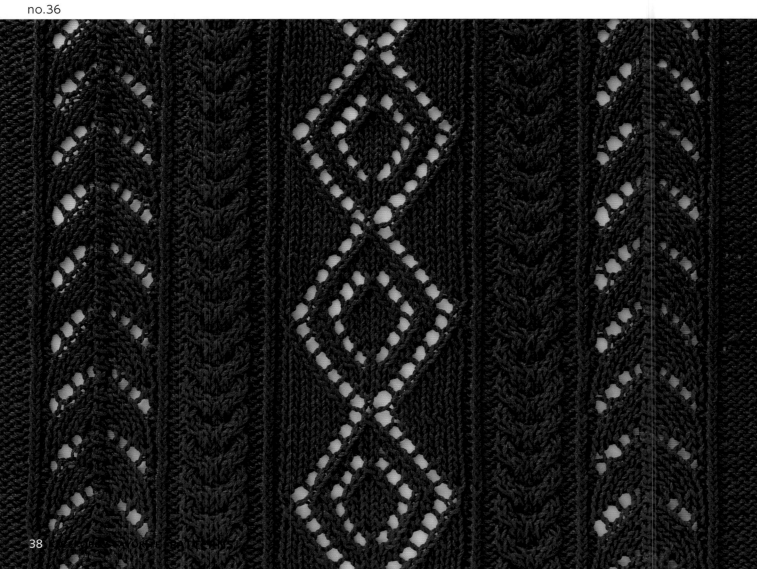

Lace

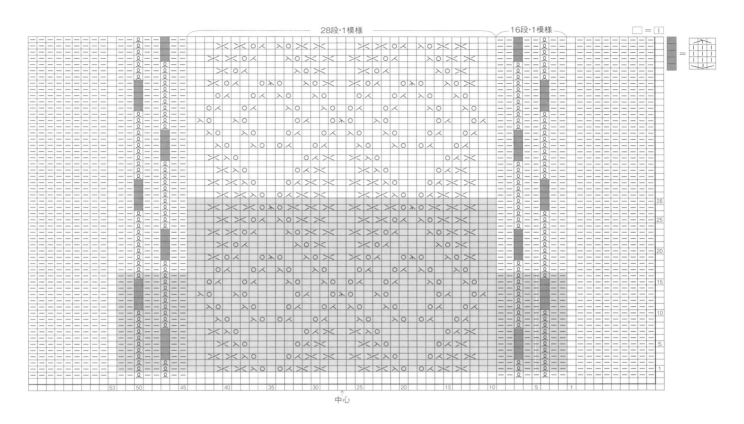

no.37

Lace

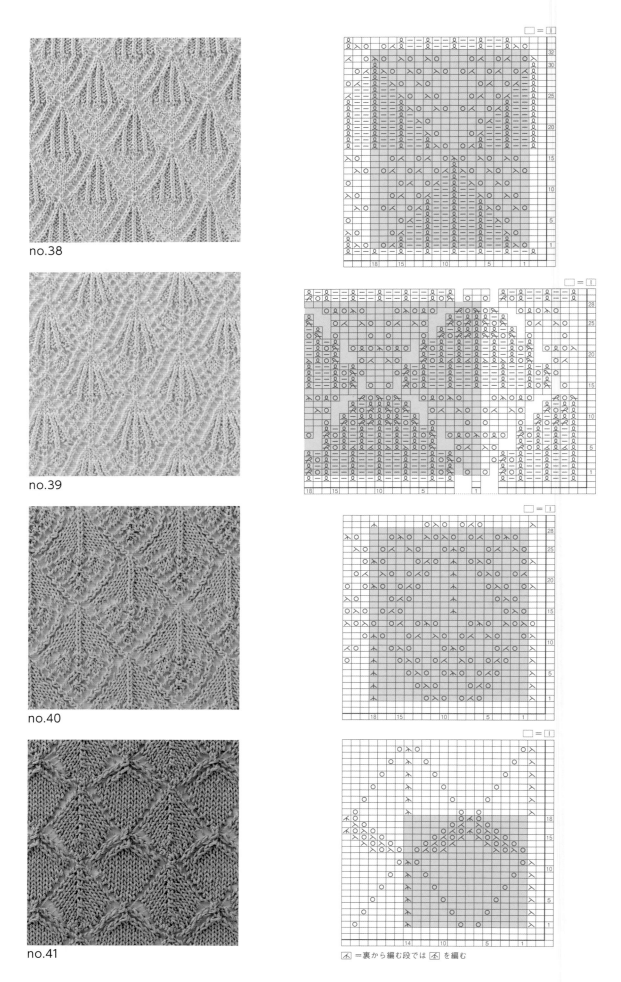

no.38

no.39

no.40

no.41

△ =裏から編む段では △ を編む

Lace

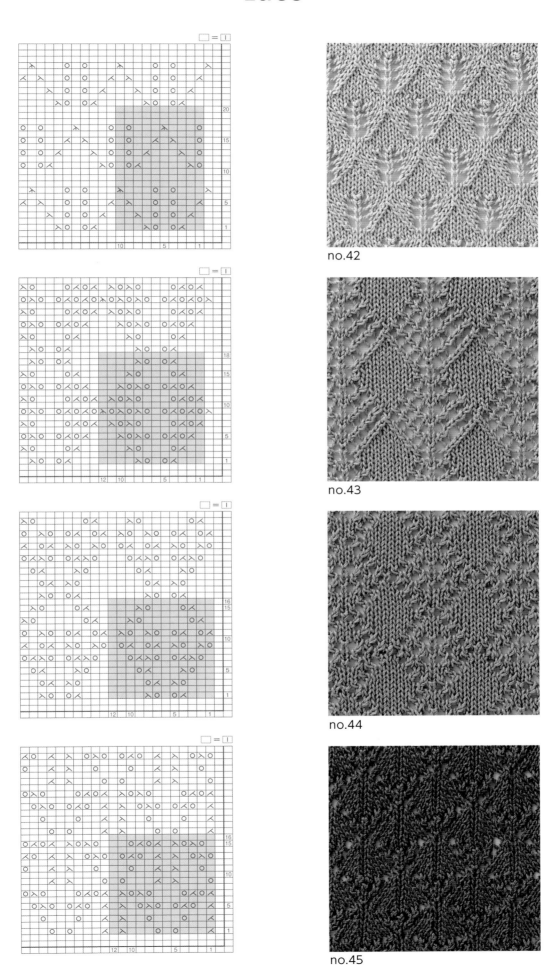

no.42

no.43

no.44

no.45

Lace

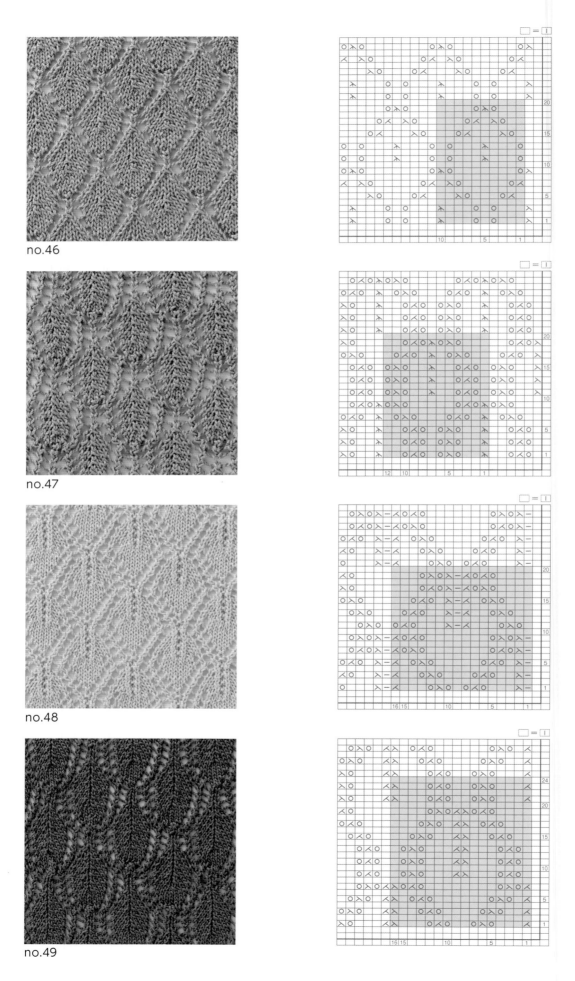

no.46

no.47

no.48

no.49

Lace

no.50

no.51

※no.50、no.51の記号図→Page 124

Lace

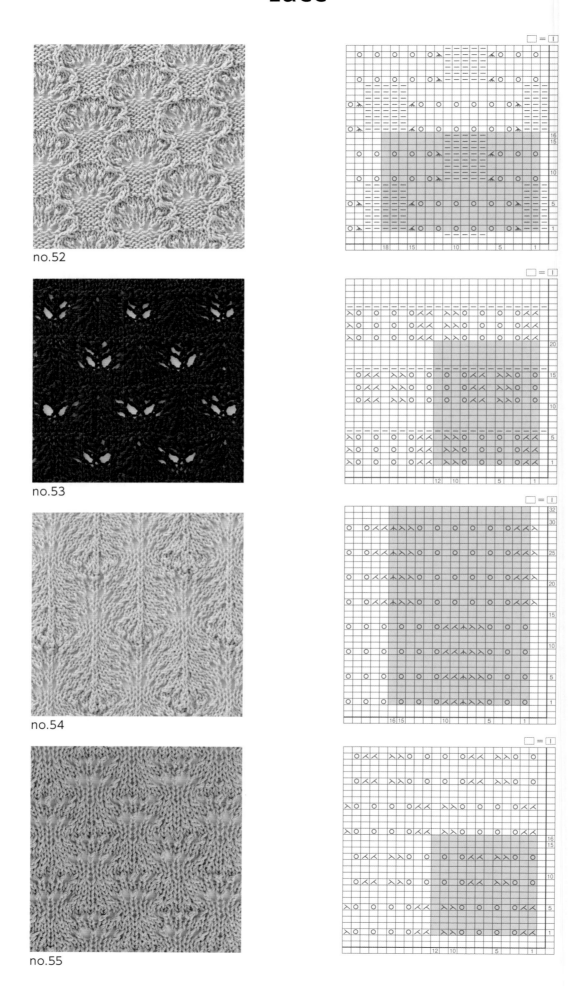

no.52

no.53

no.54

no.55

Lace

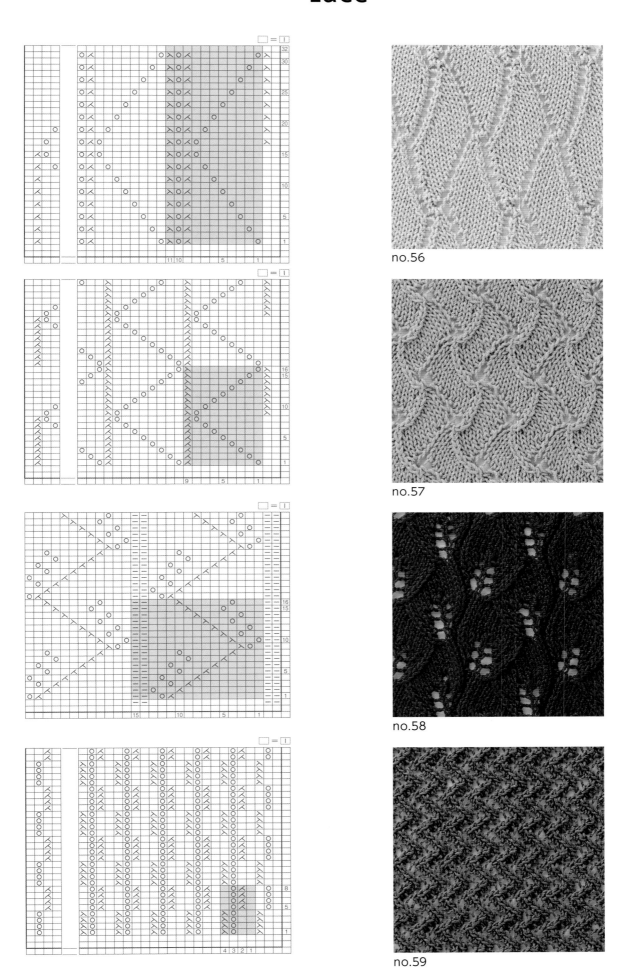

no.56

no.57

no.58

no.59

Lace

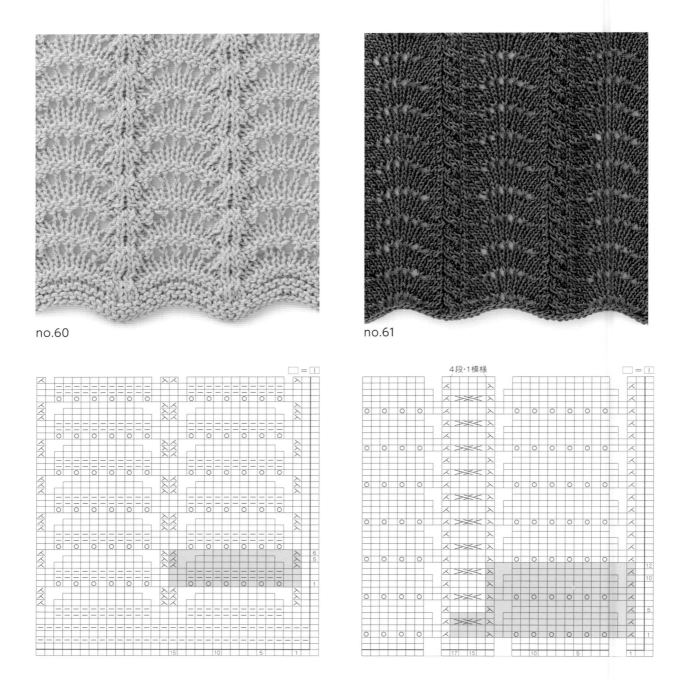

no.60

no.61

no.62

ひとつのレース模様だけでなく、何種類か組み
合せて使うのも素敵です。中心の位置がずれ
ない様に気をつけて配置します。バランスを考
えながら模様を選ぶのも、楽しい時間です。
記号図→page 124

A combination of several lace patterns
is also nice instead of using only one.
They need to be arranged carefully to
keep the center of the patterns aligned.
I enjoy looking at the balance and
choosing from the different patterns.
See chart on page 124

Lace

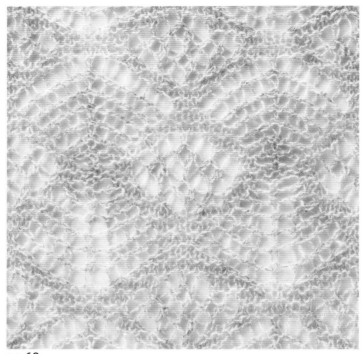

no.63

no.64

※no.63、no.64の記号図→Page 118

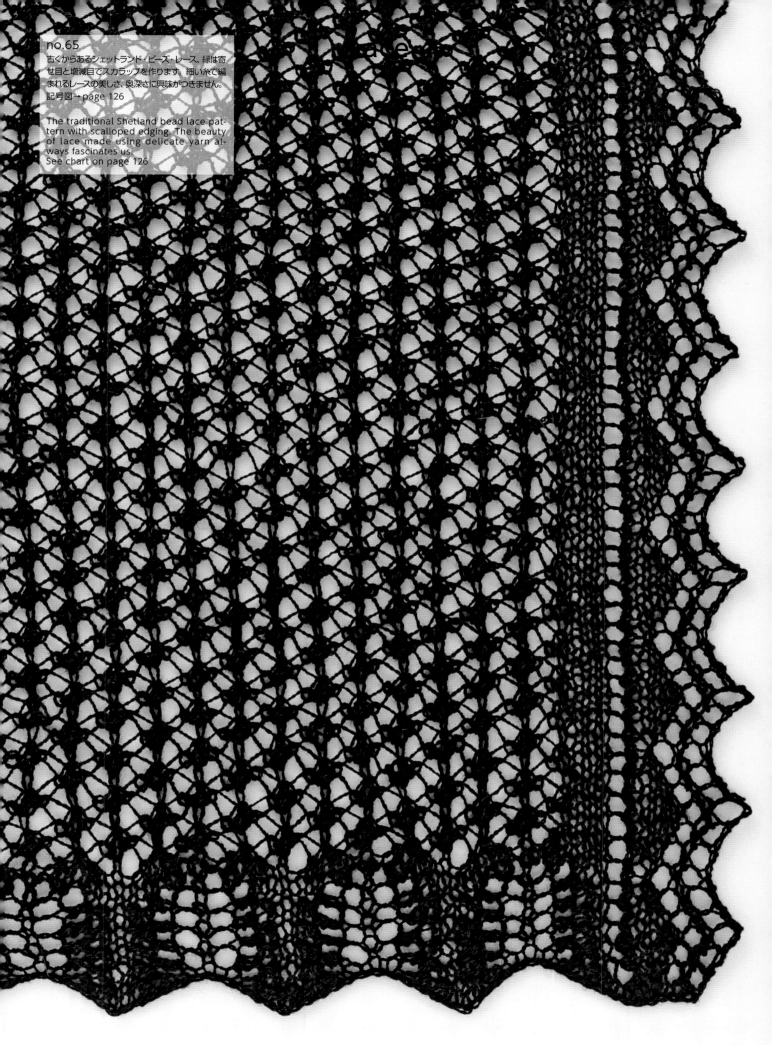

no.65
古くからあるシェットランド・ビーズ・レース、縁は寄せ目と増減目でスカラップを作ります。細い糸で編まれるレースの美しさ、奥深さに興味がつきません。
記号図→page 126

The traditional Shetland bead lace pattern with scalloped edging. The beauty of lace made using delicate yarn always fascinates us.
See chart on page 126

Lace

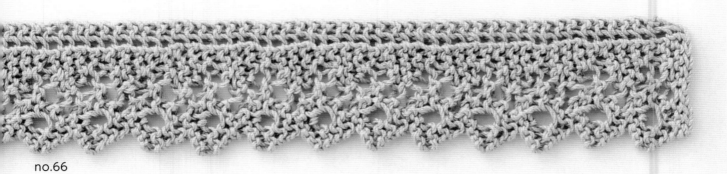

no.66

no.67

no.68

Lace

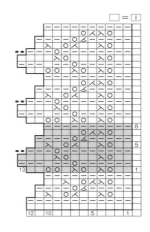

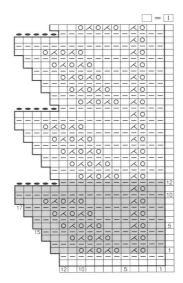

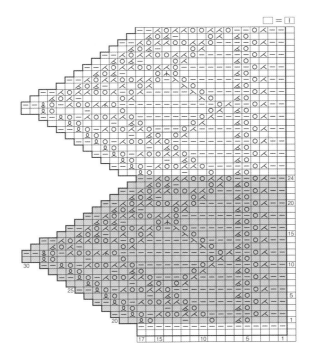

Cable & Aran

ケーブルとアラン

Instructions on page119

Cable & Aran

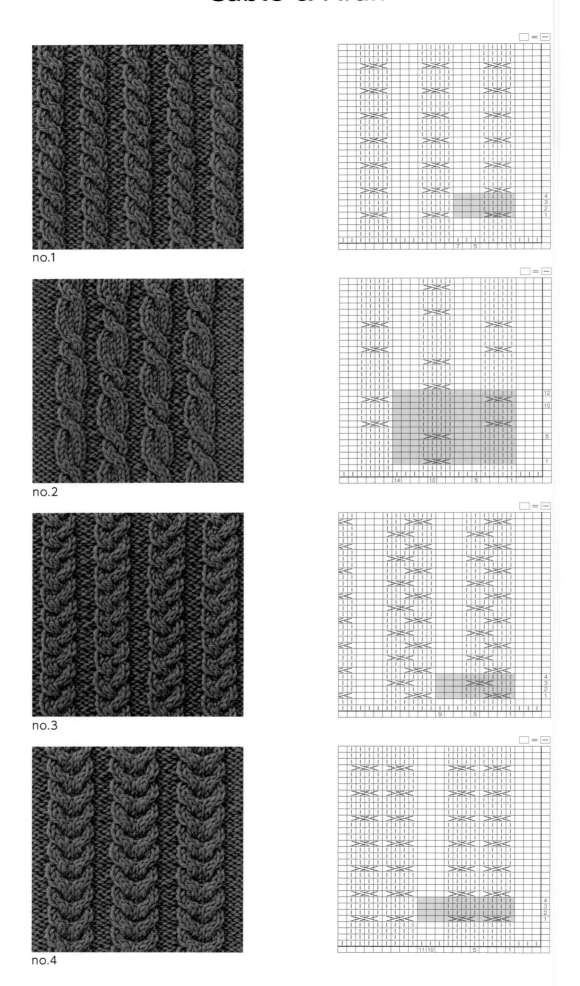

no.1

no.2

no.3

no.4

Cable & Aran

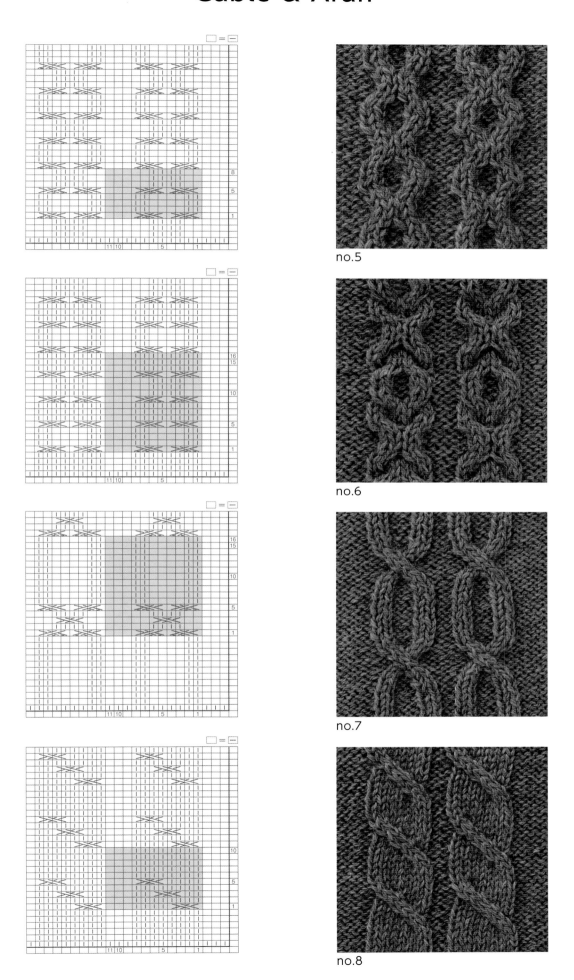

no.5

no.6

no.7

no.8

Cable & Aran

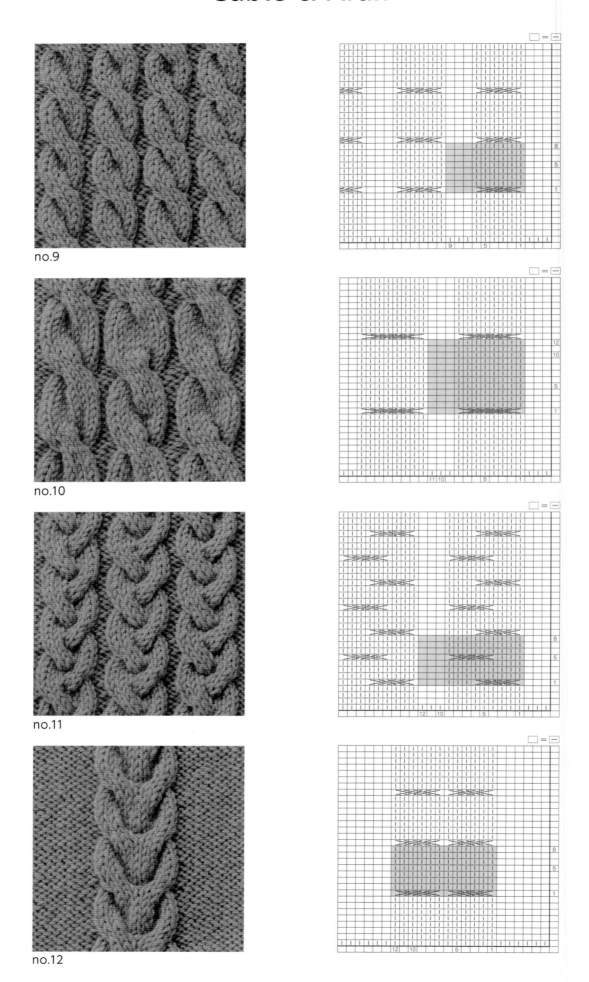

no.9

no.10

no.11

no.12

Cable & Aran

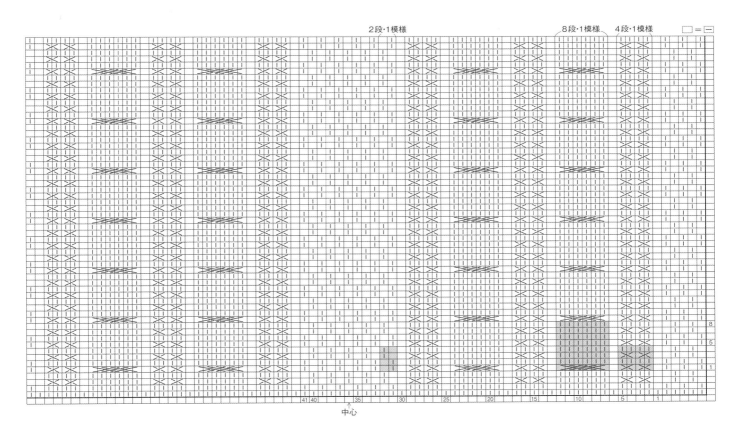

no.13

Cable & Aran

no.14

no.15

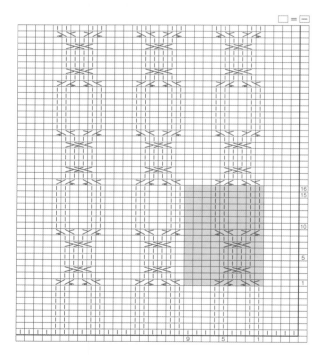

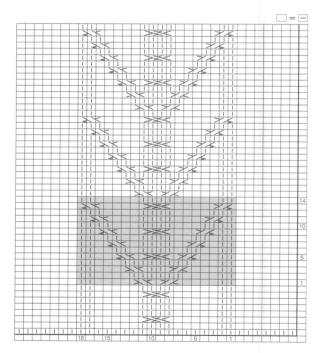

Cable & Aran

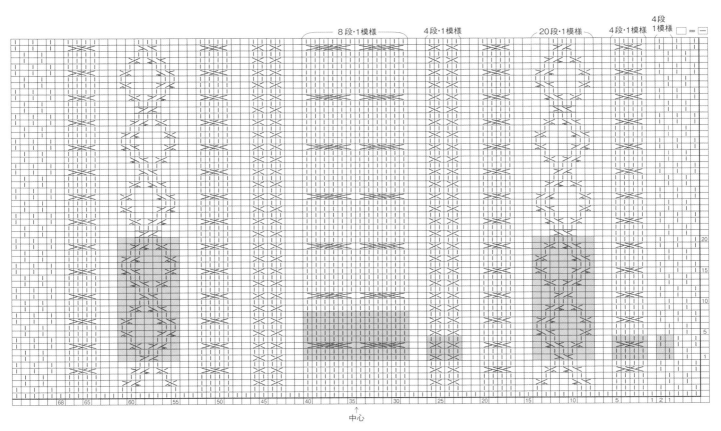

no.16

Cable & Aran

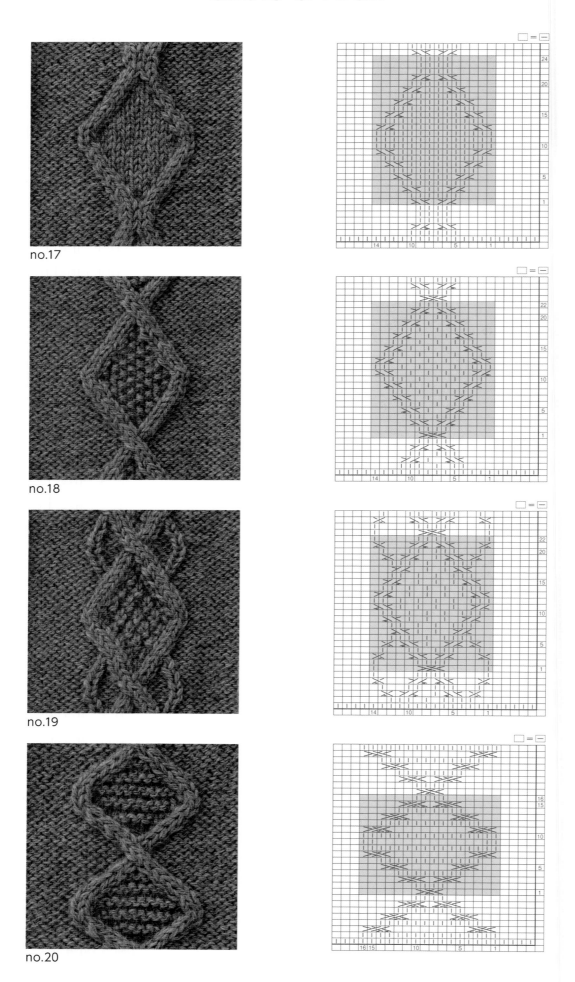

no.17

no.18

no.19

no.20

Cable & Aran

no.21

no.22

no.23

no.24

Cable & Aran

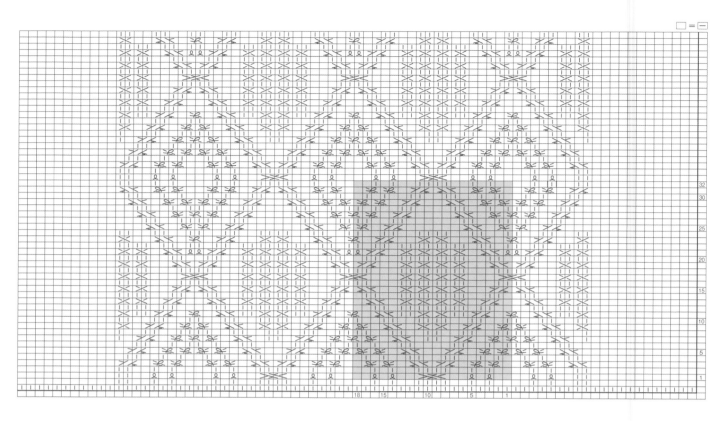

no.25

Cable & Aran

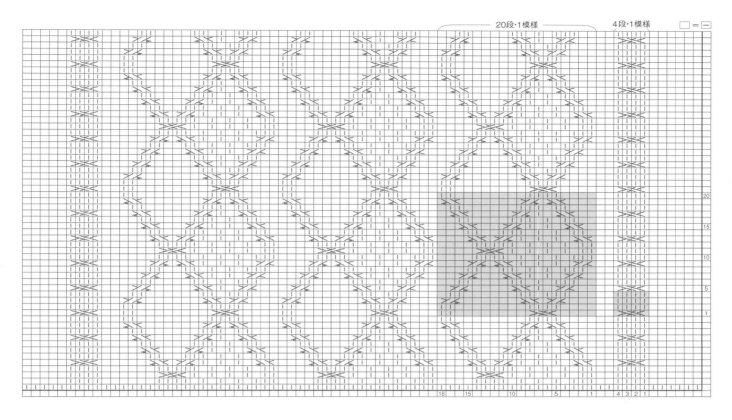

no.26

Cable & Aran

no.27

no.28

Cable & Aran

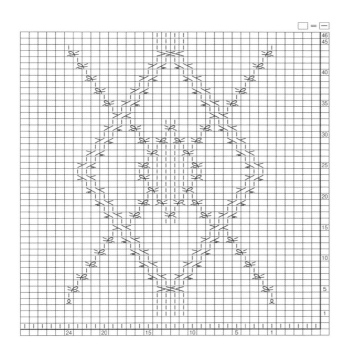

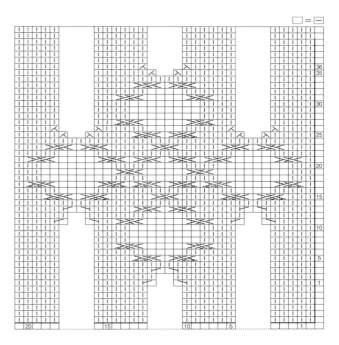

Cable & Aran

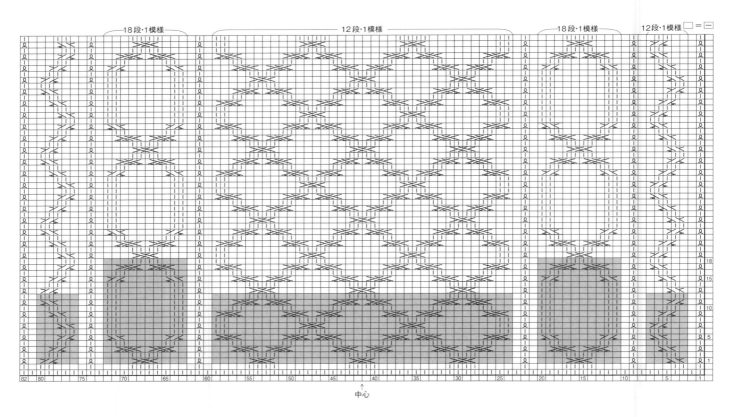

no.29

Cable & Aran

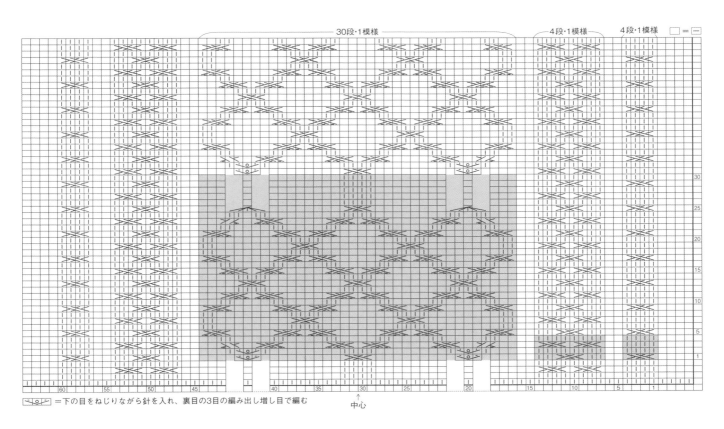

〔▷◦◁〕＝下の目をねじりながら針を入れ、裏目の3目の編み出し増し目で編む

↑
中心

no.30

Cable & Aran

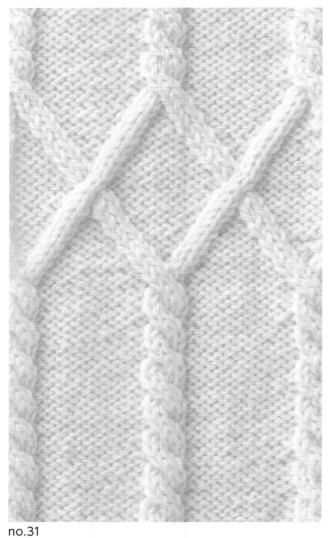

no.31

no.32

※no.31、no.32の記号図→Page 70

Cable & Aran

no.33
中央にワンポイントのダイヤと細いケーブル、左右に6目のケーブルを配置した、シンプルなアラン模様です。たくさん模様を入れるのも好きですが、このような軽い模様も、ときどき使います。
記号図→page 71

A simple Aran pattern with a diamond and small cables arranged in the middle and 6-stitch cables placed on both sides. I like using a variety of patterns but also like using something like this with less impact.
See chart on page 71

Cable & Aran

no.31
page 68

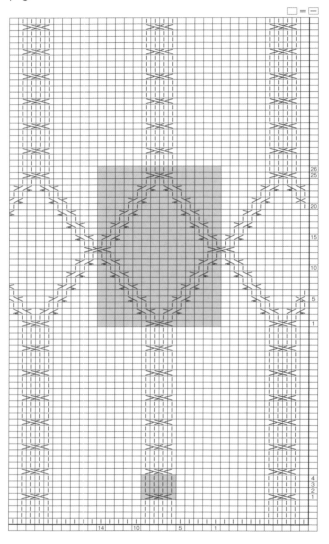

no.32
page 68

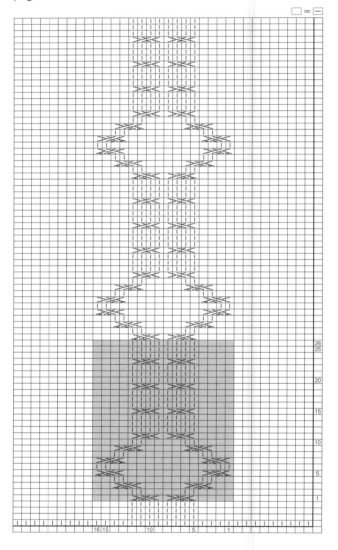

Cable & Aran

no.33
page 69

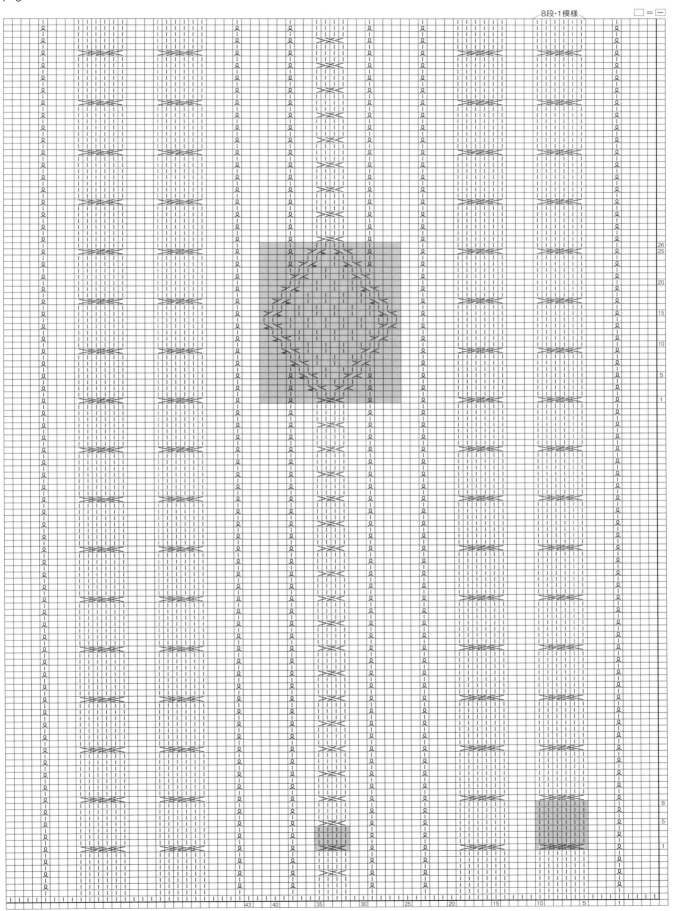

Cable & Aran

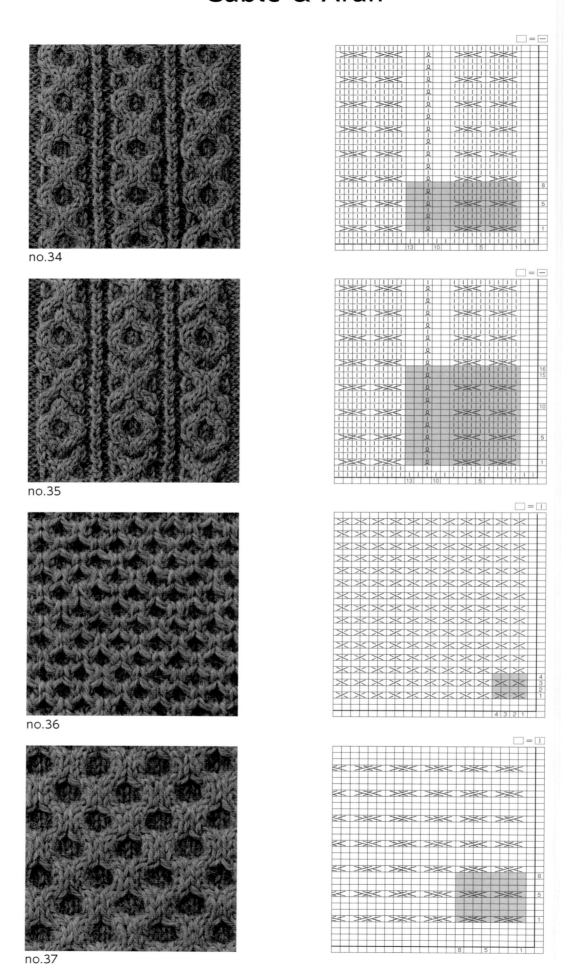

no.34

no.35

no.36

no.37

Cable & Aran

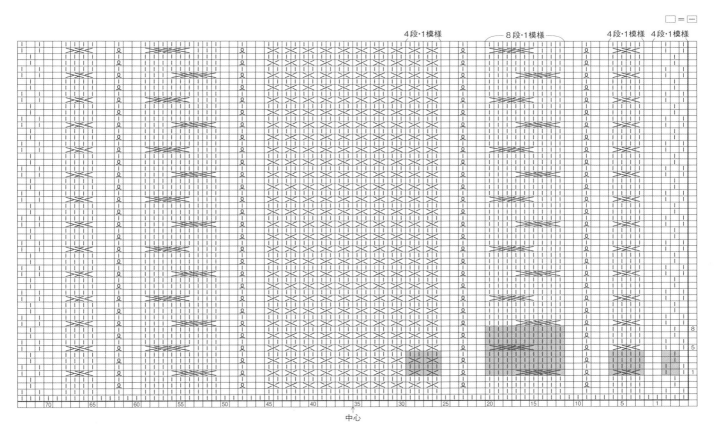

no.38

Cable & Aran

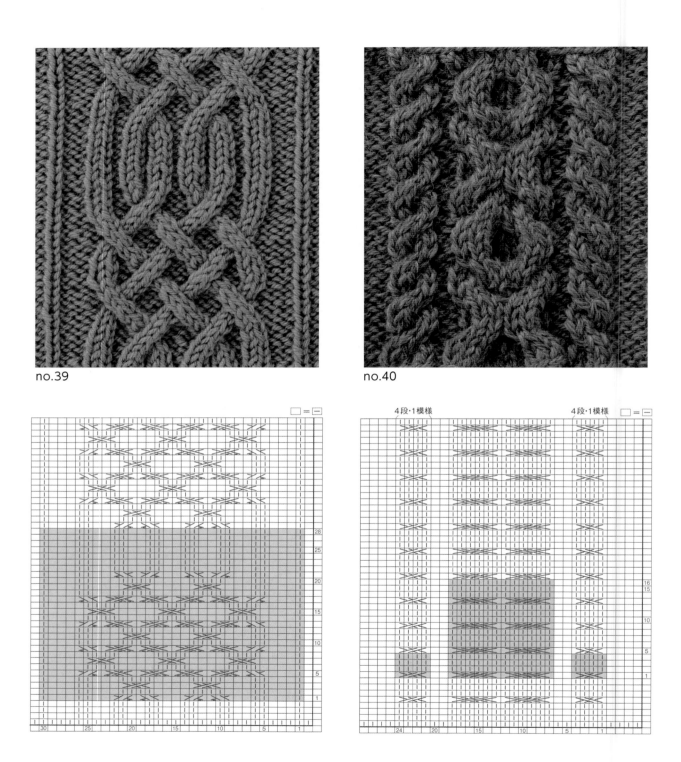

no.39

no.40

Cable & Aran

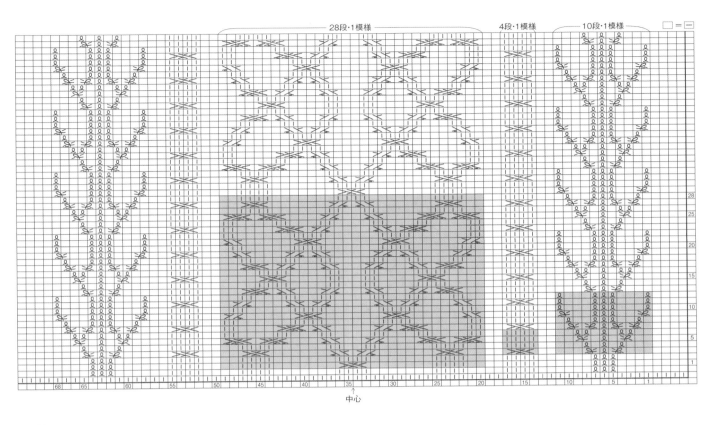

no.41

Cable & Aran

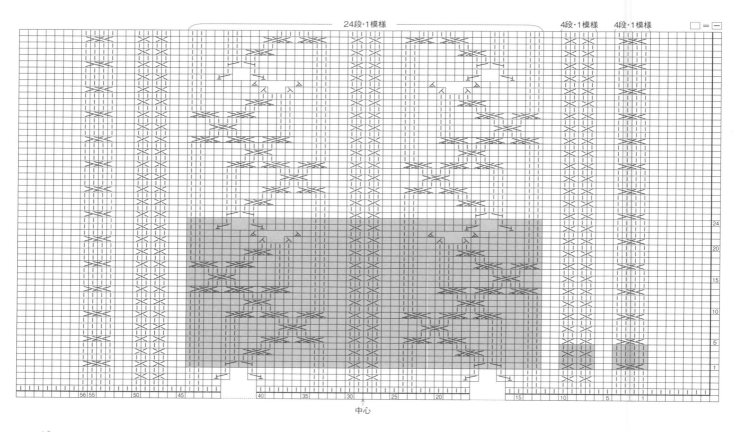

no.42

Cable & Aran

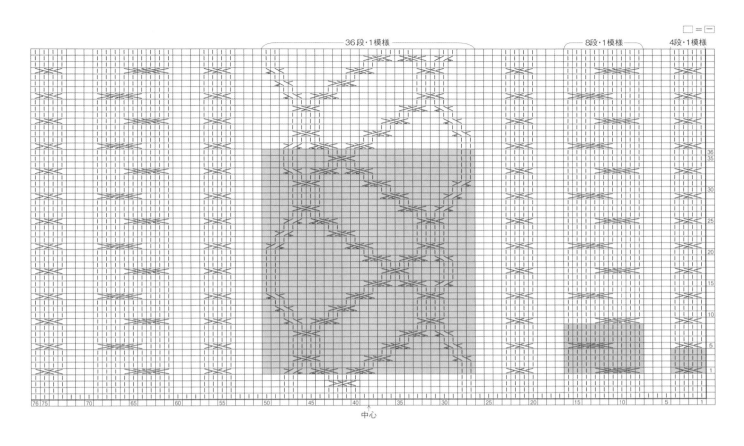

no.43

Cable & Aran

no.44

no.45

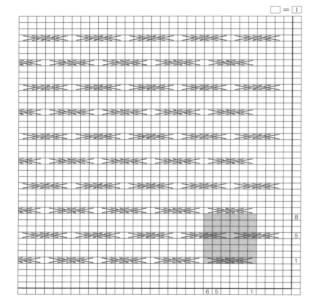

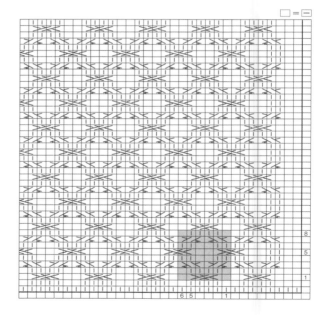

Cable & Aran

no.46

中央にバスケット模様、4目と6目のケーブル、生命の木のアレンジにポップルを入れました。これは少し細めの糸で編んでいますが、糸の太さで、模様のボリューム感が変わってきます。
記号図→page 125

The basket pattern is placed in the center with 4-stitch and 6-stitch cables and the Tree of Life arranged with bobbles. This will have more texture when worked with heavier yarn.
See chart on page 125

Cable & Aran

no.47
プルオーバーやジャケットの裾に、ゴム編みで
はなく、装飾的な模様を組み合せると、クラシ
カルで趣のある仕上がりになります。
記号図→page 126

Using decorative edging for pullovers
and jackets instead of ribbing gives a
classical touch.
See chart on page 126

no.48
裾にボッブル、トレリス（石垣）、中央に渦巻き
飾りと呼ばれるダイヤ柄と、小さなケーブルとね
じり目のジグザグ模様を配置しました。
記号図→page 127

Bobbles and trellis is placed along the
hem, with a decorated diamond pattern
at the center and small cables and zig-
zags using twisted stitches.
See chart on page 127

Cable & Aran

no.49

no.50

no.51

no.52

● = 前段の目と目の間から編み出す

Cable & Aran

記号図→page 125

no.53
インパクトのあるケルトの模様を中央に、左右には力強い模様を引き立てる優しい模様、小さなケーブルと生命の木を合わせました。

A strong Celtic pattern is placed in the center, combined with contrasting patterns, small cables and the Tree of Life.
See chart on page 125

Cable & Aran

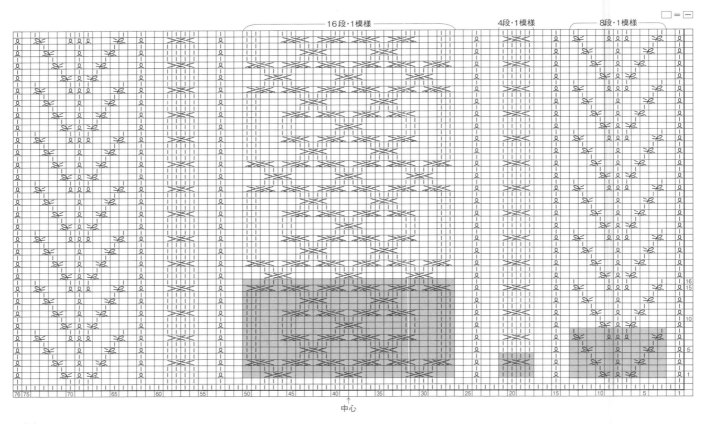

no.54

Cable & Aran

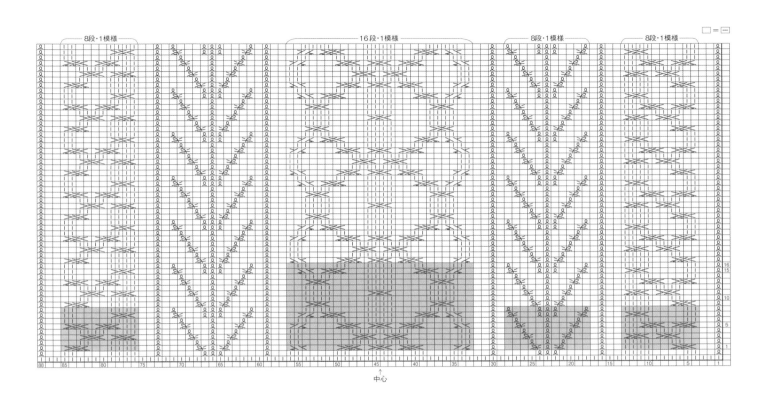

no.55

Rib & Twist

リブ編みとねじり目

Instructions on page120

Rib & Twist

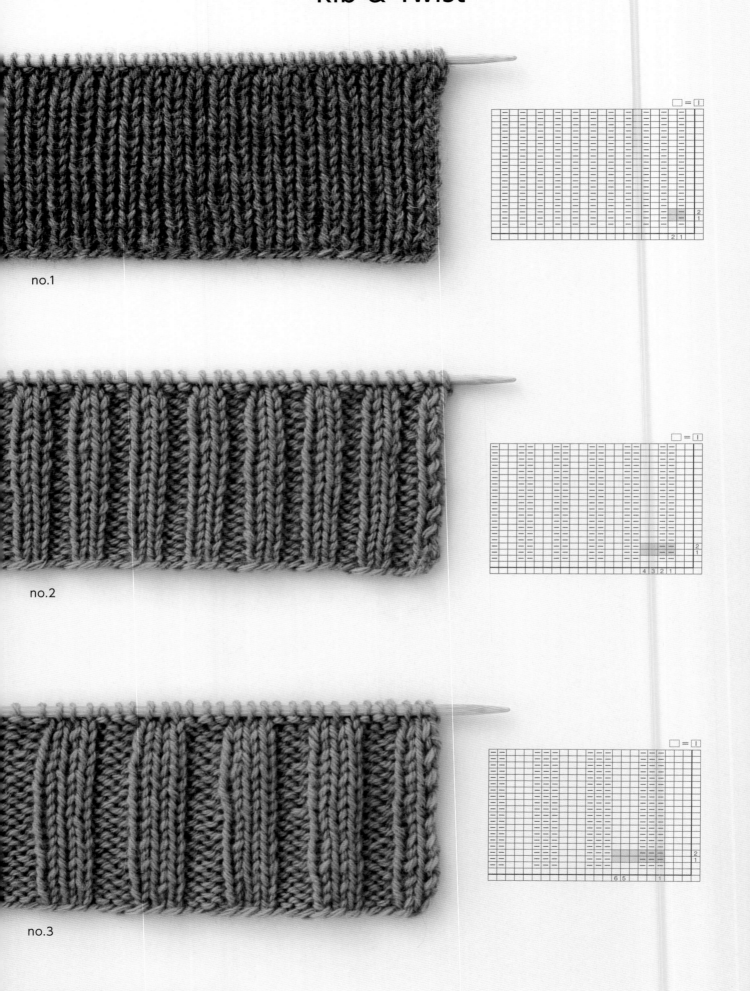

no.1

no.2

no.3

Rib & Twist

no.4

no.5

no.6

Rib & Twist

no.7

no.8

no.9

Rib & Twist

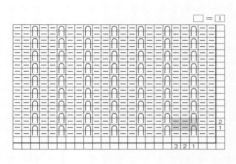

no.10

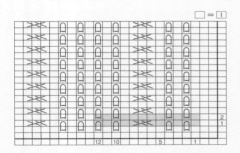

no.11

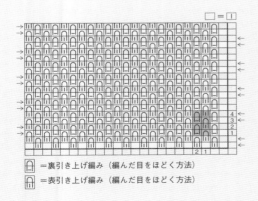

⌂ =裏引き上げ編み（編んだ目をほどく方法）

⌂ =表引き上げ編み（編んだ目をほどく方法）

no.12

Rib & Twist

no.13

no.14

no.15

Rib & Twist

no.16

no.17

no.8

Rib & Twist

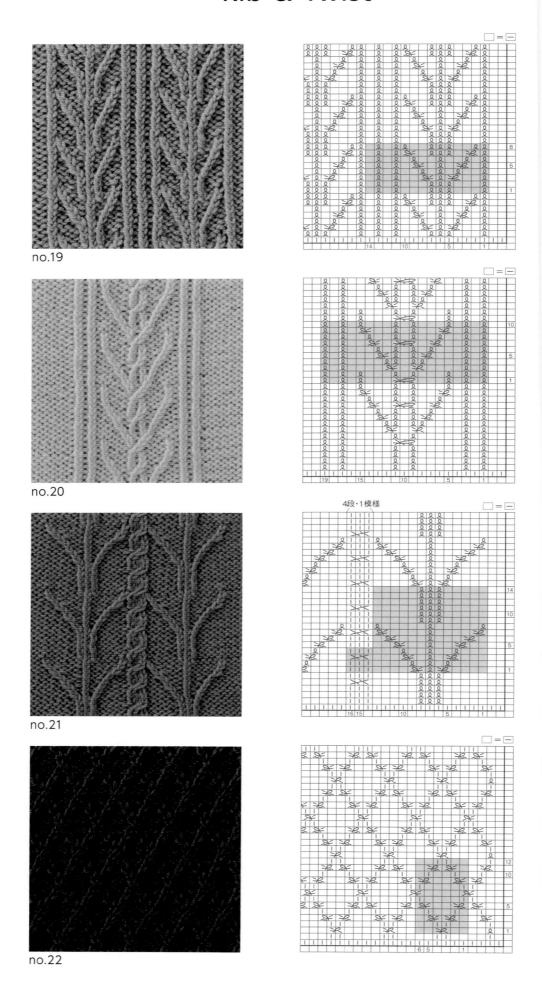

no.19

no.20

no.21

no.22

Rib & Twist

no.23

no.24

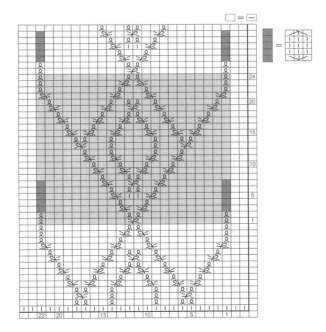

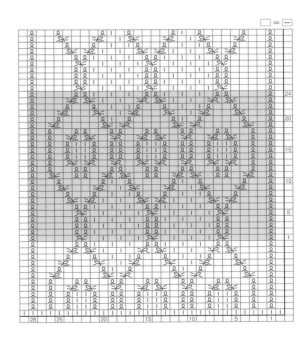

Rib & Twist

※no.25、no.26の記号図→Page 98

no.25

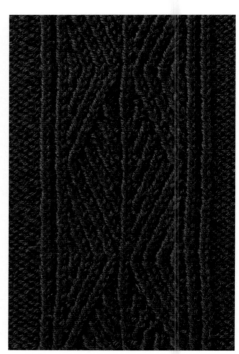

no.26

Rib & Twist

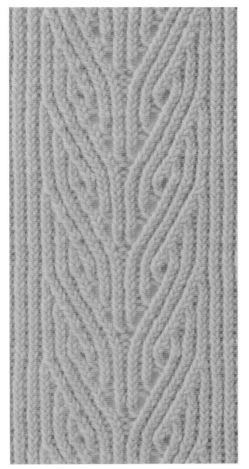

no.27

no.28

※no.27、no.28の記号図→Page 99

Rib & Twist

no.25
page 96

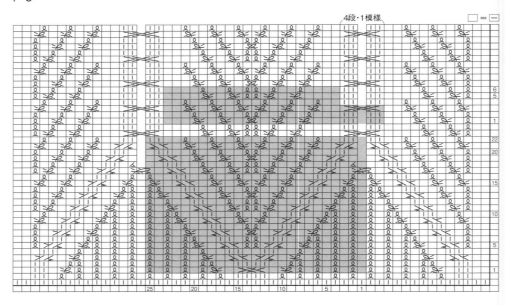

no.26
page 96

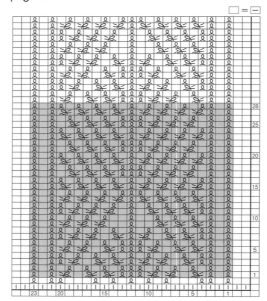

Rib & Twist

no.27
page 97

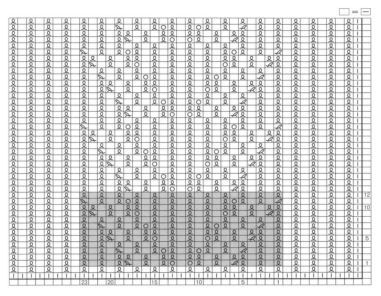

no.28
page 97

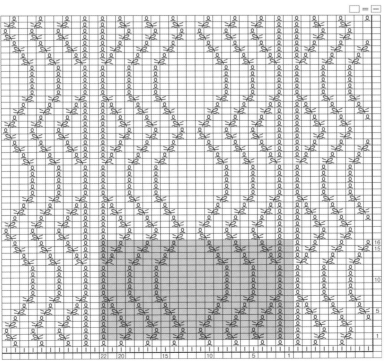

Basic Symbols

棒針編みの編み目記号

Basic Symbols

┃ ［表目］

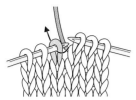  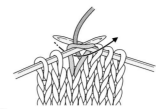 

1 糸を向こう側におき、針を矢印のように入れます。

2 糸を向こう側におき、針を矢印のように入れます。

3 針に糸をかけて矢印のように引き出し、左針を引いて目をはずします。

4 表目のできあがり。

一 ［裏目］

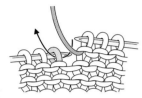  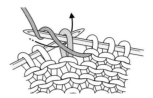 

1 糸を手前におき、針を矢印のように入れます。

2 針を入れたところ。

3 針に糸をかけて矢印のように引き出し、左針を引いて目をはずします。

4 裏目のできあがり。

○ ［かけ目］

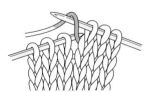 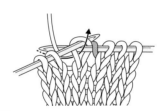 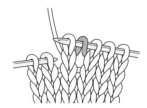 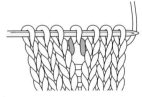

1 針に、手前から向こう側に糸をかけます。

2 次の目を表目で編みます。

3 かけ目ができて、1目増えたところ。

4 もう1段編んで、表から見たところ。

℺ ［ねじり目］

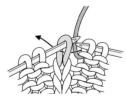  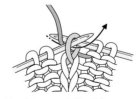 

1 矢印のように、目をねじるように針を入れます。

2 針を入れたところ。

3 針に糸をかけて矢印のように引き出します。

4 ねじり目のできあがり。

℺ ［裏目のねじり目］

  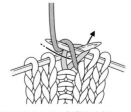 

1 糸を手前におき、矢印のように、目をねじるように針を入れます。

2 針を入れたところ。

3 針に糸をかけて矢印のように引き出します。

4 裏目のねじり目のできあがり。

Basic Symbols

⟋ ［右上2目一度］

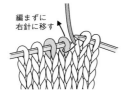
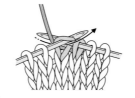

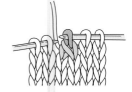

1 右側の目に矢印のように針を入れ、編まずに移します。

2 左側の目を表目で編みます。

3 移した目を編んだ目にかぶせます。

4 右上2目一度のできあがり。

⟍ ［左上2目一度］

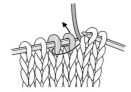

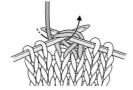
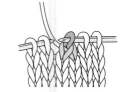

1 矢印のように2目一緒に針を入れます。

2 2目に針を入れたところです。

3 針に糸をかけて矢印のように引き出します。

4 左上2目一度のできあがり。

⟋ ［裏目の右上2目一度］

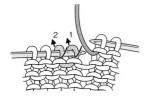
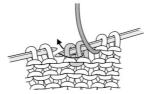
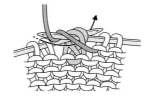

1 矢印のように針を入れ、目を右針に移します。

2 矢印のように針を入れ、目を左針に戻します。

3 戻した2目に針を入れ、裏目で編みます。

4 裏目の右上2目一度のできあがり。

⟍ ［裏目の左上2目一度］

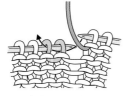
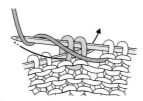

1 2目に矢印のように針を入れます。

2 針に糸をかけ、2目一緒に裏目で編みます。

3 左針を引いて目をはずします。

4 裏目の左上2目一度のできあがり。

⋀ ［中上3目一度］

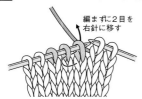
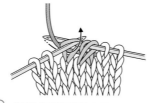
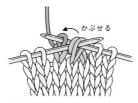

1 右側の2目に矢印のように針を入れ、編まずに移します。

2 3目めを表目で編みます。

3 移した目を3目めにかぶせます。

4 中上3目一度のできあがり。

Basic Symbols

⟋ ［右上 3 目一度］

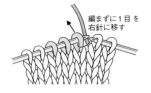 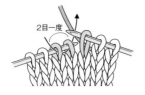 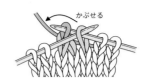 

1 1目めに矢印のように針を入れて、編まずに移します。

2 次の 2 目に矢印のように針を入れ、2 目を一緒に表目で編みます。

3 移した目を編んだ目にかぶせます。

4 右上 3 目一度のできあがり。

⟍ ［左上 3 目一度］

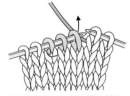   

1 矢印のように 3 目一緒に針を入れます。

2 3 目を一緒に表目で編みます。

3 左針を引いて目をはずします。

4 左上 3 目一度のできあがり。

⟋ ［裏目の右上 3 目一度］

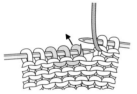 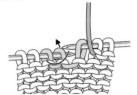 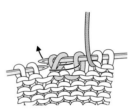 

1 1目めに矢印のように針を入れて、編まずに右針に移します。

2 次の 2 目に矢印のように針を入れ、編まずに右針に移します。

3 矢印のように針を入れ、3 目を左針に戻します。

4 矢印のように針を入れ、3 目を一緒に裏目で編みます。裏目の右上 3 目一度のできあがり。

⟍ ［裏目の左上 3 目一度］

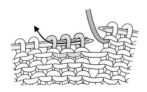   

1 矢印のように 3 目一緒に針を入れます。

2 針に糸をかけて 3 目一度に裏目で編みます。

3 左針を引いて目をはずします。

4 裏目の左上 3 目一度のできあがり。

⟍ ［左上 4 目一度］

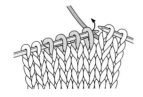   

1 矢印のように 4 目一緒に針を入れ、

2 糸をかけて引き出し、4 目一緒に表目で編みます。

3 左針を引いて、目をはずします。

4 左上 4 目一度のできあがり。

Basic Symbols

⬓ ［右上 4 目一度］

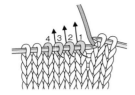

1 矢印のように 3 目に針を入れて右針に移します。

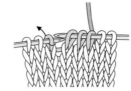

2 4 目めに針を入れて、

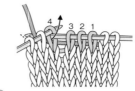

3 表目で編みます。

4 右側の 3 目を左針で 1 目ずつかぶせます。

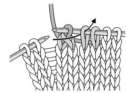

5 3 の目をかぶせたところです。2、1 の目もかぶせます。

6 右上 4 目一度のできあがり。

⬓ ［ねじり目の右上 2 目一度］

1 矢印のように、目をねじるように針を入れ、編まずに移します。

2 次の目を表目で編みます。

3 移した目を編んだ目にかぶせます。

4 ねじり目の右上 2 目一度のできあがり。

⬓ ［ねじり目の左上 2 目一度］

1 2 目を編まずに右針に移し、2 目めに矢印のように左針を入れ、戻します。

2 1 目めはそのまま戻し、矢印のように針を入れます。

3 2 目一緒に表目で編みます。

4 ねじり目の左上 2 目一度のできあがり。

⬓ ［ねじり目の右上 3 目一度］

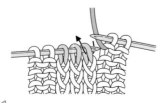

1 右側の目に矢印のように針を入れ、編まずに移します。

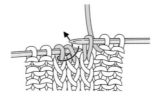

2 矢印のように針を入れ、2 目を一緒に表目で編みます。

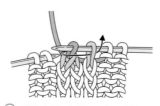

3 移した目に矢印のように左針を入れ、

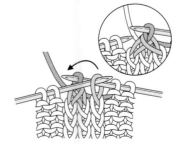

4 編んだ目にかぶせます。ねじり目の右上 3 目一度のできあがり。

Basic Symbols

├┼┤ ［右増し目］

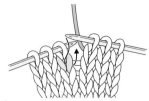

1　増したい目の前々段に矢印の
　ように針を入れ、

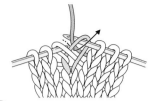

2　引き上げて表目で編みます。

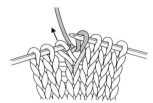

3　左針の目に矢印のように針を
　入れ、表目で編みます。

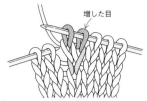

4　右増し目のできあがり。

├┼┤ ［左増し目］

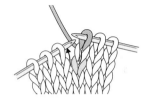

1　表目を編み、前々段の目に矢
　印のように針を入れ、

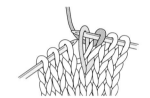

2　引き上げます。

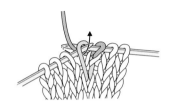

3　目の向きはそのままにして左
　針に戻し、表目で編みます。

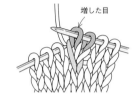

4　左増し目のできあがり。

├┼┤ ［裏目の右増し目］

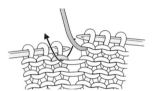

1　糸を手前におき、増したい目
　の前々段に矢印のように針を
　入れ、

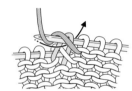

2　引き上げて裏目で編みます。

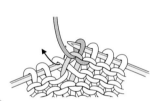

3　左針の目に矢印のように針を
　入れ、

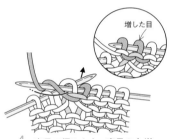

4　裏目で編みます。裏目の右増
　し目のできあがり。

├┼┤ ［裏目の左増し目］

1　裏目を編み、前々段の目に矢
　印のように左針を入れ、

2　引き上げて矢印のように右針
　を入れます。

3　裏目で編みます。

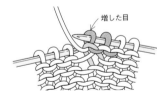

4　裏目の左増し目のできあがり。

ℚ ［ねじり増し目］

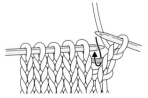

1　右針を矢印のように入れます。

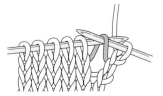

2　右針で引き上げたループを左
　針に移します。

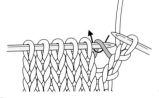

3　矢印のように右針を入れ、針
　に糸をかけて引き出します。

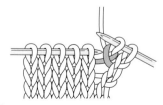

4　ねじり増し目のできあがり。

Basic Symbols

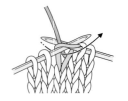 =  ［3 目の編み出し増し目］

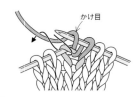

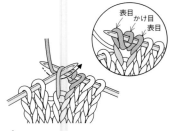

1 目に針を入れ、糸をかけて引き出します。

2 左針から目をはずさずに、

3 かけ目をし、矢印のように針を入れ、

4 糸をかけて引き出します。3目の編み出し増し目のできあがり。

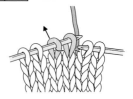 ［右上1目交差］

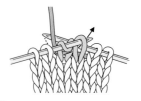

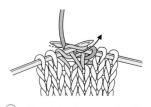

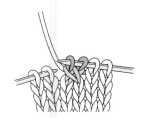

1 左の目に矢印のように針を入れます。

2 針に糸をかけて引き出し、表目で編みます。

3 編んだ目はそのまま、右の目に針を入れ、表目で編みます。

4 右上1目交差のできあがり。

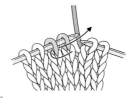 ［左上1目交差］

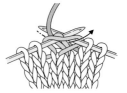

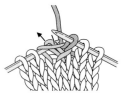

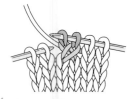

1 左の目に矢印のように針を入れます。

2 針に糸をかけて引き出し、表目で編みます。

3 編んだ目はそのまま、右の目に針を入れ、表目で編みます。

4 左上1目交差のできあがり。

 ［右上1目交差（下側が裏目）］

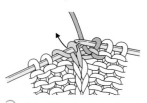

1 左の目に矢印のように針を入れ、目を引き出します。

2 針に糸をかけて引き出し、裏目で編みます。

3 編んだ目はそのまま、右の目に針を入れ、表目で編みます。

4 下側が裏目の右上1目交差のできあがり。

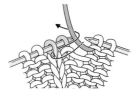 ［左上1目交差（下側が裏目）］

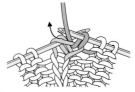

1 左の目に矢印のように針を入れ、目を引き出します。

2 表目で編み、編んだ目はそのまま、矢印のように針を入れます。

3 針に糸をかけて引き出し、裏目で編みます。

4 下側が裏目の左上1目交差のできあがり。

Basic Symbols

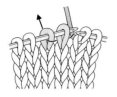 [右上ねじり１目交差]

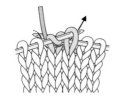

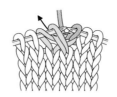

1 左の目に矢印のように針を入れます。

2 針に糸をかけて引き出し、表目で編みます。

3 編んだ目はそのまま、右の目に矢印のように針を入れて目をねじり、表目で編みます。

4 右上ねじり１目交差のできあがり。

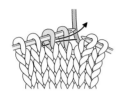 [左上ねじり１目交差]

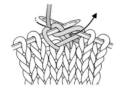

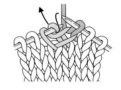

1 左の目に矢印のように針を入れて目をねじり、引き出します。

2 針に糸をかけて引き出し、表目で編みます。

3 編んだ目はそのまま、右の目に矢印のように針を入れて、表目で編みます。

4 左上ねじり１目交差のできあがり。

 [右上ねじり１目交差（両目）]

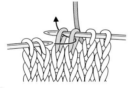

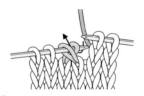

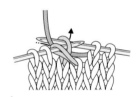

1 1、2の順に針を入れ、右針に目を移します。

2 矢印のように左針を入れ、目を戻します。

3 右の目に矢印のように針を入れて目をねじり、

4 表目で編みます。

[左上ねじり１目交差（両目）]

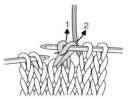

5 編んだ目はそのまま、左の目に矢印のように針を入れてねじり、表目で編みます。

6 両目の右上ねじり１目交差のできあがり。

1 2目に矢印のように針を入れ、目を右針に移します。

2 1、2の順に左針に目を戻します。

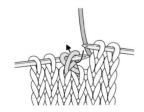

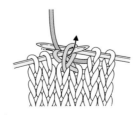

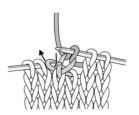

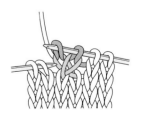

3 右の目に矢印のように針を入れて、

4 表目で編みます。

5 左の目に矢印のように針を入れて、表目で編みます。

6 両目の左上ねじり１目交差のできあがり。

107

Basic Symbols

［右上ねじり1目交差（下側が裏目）］

 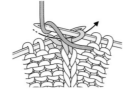 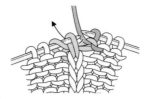 

1 左の目に矢印のように針を入れます。

2 右の目の右側まで引き出し、針に糸をかけて裏目で編みます。

3 編んだ目はそのまま、右の目に矢印のように針を入れて目をねじり、表目で編みます。

4 下側が裏目の右上ねじり1目交差のできあがり。

［左上ねじり1目交差（下側が裏目）］

 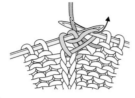  

1 左の目に矢印のように針を入れて目をねじります。

2 右の目の右側まで引き出し、針に糸をかけて表目で編みます。

3 編んだ目はそのまま、右の目に矢印のように針を入れて、裏目で編みます。

4 下側が裏目の左上ねじり1目交差のできあがり。

［右上すべり目の1目交差］

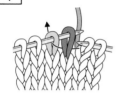 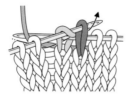  

1 左の目に矢印のように針を入れます。

2 表目で編みます。

3 編んだ目はそのまま、右の目に矢印のように針を入れます。

4 編まずに移します。右上すべり目の1目交差のできあがり。

［左上すべり目の1目交差］

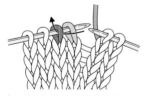  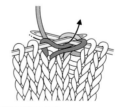 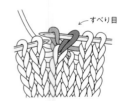

1 左の目に矢印のように針を入れます。

2 右側に引き出し、そのままの状態で右の目に針を入れます。

3 表目で編みます。

4 左の目から針をはずします。左上すべり目の1目交差のできあがり。

［左上1目と2目の交差］

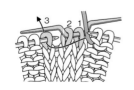 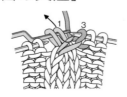  

1 右の2目をなわ編み針に移し、向こう側におきます。3の目に針を入れ、表目で編みます。

2 1の目に矢印のように針を入れ、表目で編みます。

3 次の目も表目で編みます。

4 左上1目と2目の交差のできあがり。

Basic Symbols

[右上2目と1目の交差]

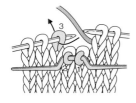
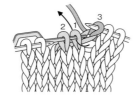
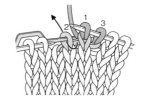
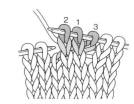

1 右の2目をなわ編み針に移し、手前におきます。3の目に針を入れ、表目で編みます。

2 1の目に矢印のように針を入れ、表目で編みます。

3 2の目も表目で編みます。

4 右上2目と1目の交差のできあがり。

[左上2目と1目の交差]

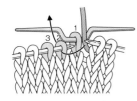
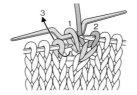
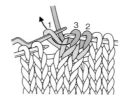
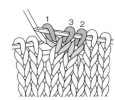

1 右の1目をなわ編み針に移し、向こう側におきます。2の目に針を入れ、表目で編みます。

2 3の目も表目で編みます。

3 1の目に矢印のように針を入れ、表目で編みます。

4 左上2目と1目の交差のできあがり。

[右上2目と1目の交差（下側が裏目）]

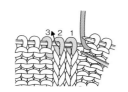

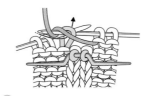

1 右の2目をなわ編み針に移し、手前におきます。

2 3の目に矢印のように針を入れ、

3 裏目で編みます。

4 1の目に矢印のように針を入れ、

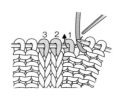
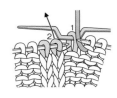

[左上2目と1目の交差（下側が裏目）]

5 表目で編みます。2の目も表目で編みます。

6 下側が裏目の右上2目と1目の交差のできあがり。

1 右の1目をなわ編み針に移し、向こう側におきます。

2 2の目に針を入れ、表目で編みます。

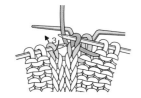

3 3の目も表目で編みます。

4 1の目に矢印のように針を入れ、

5 裏目で編みます。

6 下側が裏目の左上2目と1目の交差のできあがり。

Basic Symbols

［右上2目交差］

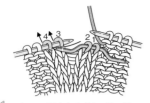
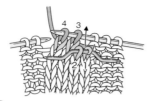
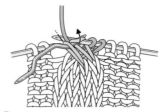
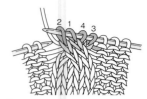

1 右の2目をなわ編み針に移し、手前におきます。3、4の目を表目で編みます。

2 1の目に矢印のように針を入れ、

3 表目で編みます。

4 2の目も表目で編み、右上2目交差のできあがり。

［左上2目交差］

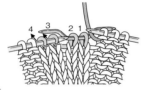
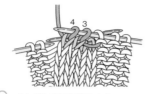
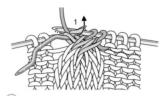
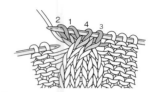

1 右の2目をなわ編み針に移し、向こう側におきます。3、4の目に矢印のように針を入れ、

2 それぞれ表目で編みます。

3 1の目に針を入れ、表目で編みます。

4 2の目も表目で編み、左上2目交差のできあがり。

［右上3目交差］

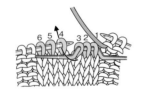
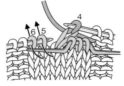
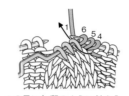

1 右の3目をなわ編み針に移し、手前におきます。4の目に矢印のように針を入れ、

2 表目で編みます。5、6の目も表目で編みます。

3 1の目に矢印のように針を入れ、表目で編みます。

4 2、3の目も表目で編み、右上3目交差のできあがり。

［左上3目交差］

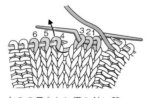
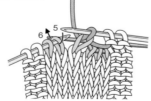
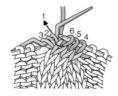

1 右の3目をなわ編み針に移し、向こう側におきます。4の目に矢印のように針を入れ、

2 表目で編みます。5、6の目もそれぞれ表目で編みます。

3 1の目に矢印のように針を入れ、表目で編みます。

4 2、3の目も表目で編み、左上3目交差のできあがり。

［右上4目交差］

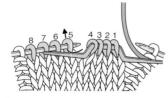
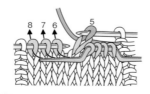
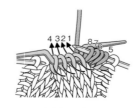
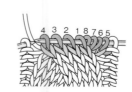

1 右の4目をなわ編み針に移し、手前におきます。5の目に矢印のように針を入れ、

2 表目で編みます。6〜8の目も表目で編みます。

3 1〜4の目を表目で編みます。

4 右上4目交差のできあがり。

Basic Symbols

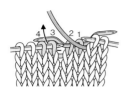 ［左上ねじり2目交差］

1 右の2目をなわ編み針に移し、向こう側におきます。3の目に矢印のように針を入れ、

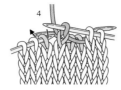

2 ねじりながら表目で編みます。4の目も同様に編みます。

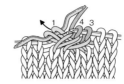

3 なわ編み針の1、2の目は、ねじらずに表目で編みます。

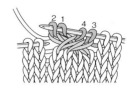

4 左上ねじり2目交差のできあがり。

 ［引き上げ編み（2段の場合）A］

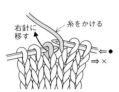

1 糸を手前におき、目は編まずに移し、針に糸をかけます。

2 次の目は表目を編みます。

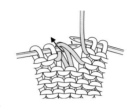

3 次の段も糸を手前におき、矢印のように針を入れ、

4 目は編まずに右針に移し、糸をかけます。

5 次の目を裏目で編みます。

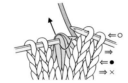

6 次の段で、2段編まずに移した目とかけた目に一緒に針を入れ、

7 表目で編みます。

8 引き上げ編み（2段の場合）のできあがり。

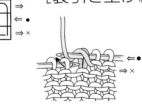 ［裏引き上げ編み（2段の場合）A］

1 糸を手前におき、目は編まずに移します。針に糸をかけ、次の目に矢印のように針を入れて、

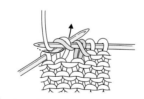

2 裏目で編みます。

3 ●の段が編めたところです。

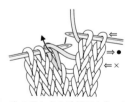

4 次の段も糸を手前におき、かけた糸と表目は編まずに右針に移します。

5 次の目を表目で編んだところです。

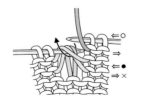

6 次の段で、編まずに移した目とかけた目に矢印のように針を入れ、

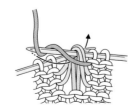

7 裏目で編みます。

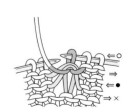

8 裏引き上げ編み（2段の場合）Aのできあがり。

Basic Symbols

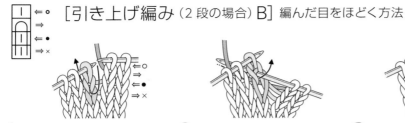

[引き上げ編み（2段の場合）B] 編んだ目をほどく方法

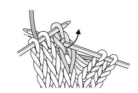

1 3段下の目に針を入れ、

2 糸をかけて引き出します。

3 編んだ目から上の2段分を針からはずし、目をほどきます。

4 引き上げ編み（2段の場合）Bのできあがり。

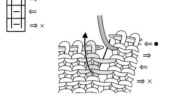

[裏引き上げ編み（2段の場合）B] 編んだ目をほどく方法

1 糸を手前において、3段下の目に矢印のように針を入れます。

2 糸をかけて引き出します。

3 引き出した目から上の目を針からはずし、ほどきます。

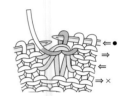

4 裏引き上げ編み（2段の場合）のできあがり。

［イギリスゴム編み（裏目側引き上げ）］

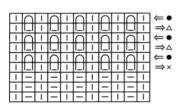

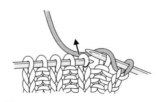

1 裏目は編まずに移し、

2 針に糸をかけます。次の目に針を入れ、

3 表目で編みます。

4 1〜3をくり返します。

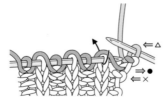

5 次の段の2目めは、かけた目と一緒に針を入れ、表目で編みます。

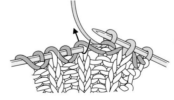

6 3目めは、裏目で編み、4目めはかけた目と一緒に表目で編みます。1〜6をくり返します。

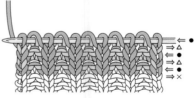

7 イギリスゴム編み（裏目側引き上げ）を5段編んだところ。

［イギリスゴム編み（表目側引き上げ）］

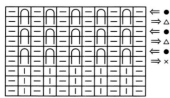

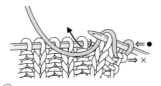

1 表目は編まずに移し、

2 針に糸をかけます。次の目に針を入れ、裏目で編みます。

3 1、2をくり返します。

Basic Symbols

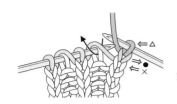

4 次の段の2目めは、かけた目と一緒に針を入れ、裏目で編みます。

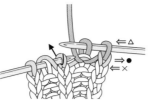

5 3目めは表目で編みます。4、5をくり返します。

6 イギリスゴム編み（表目側引き上げ）を5段編んだところ。

［イギリスゴム編み（両面引き上げ）］

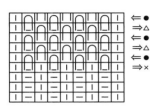

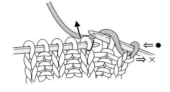

1 裏目は編まずに移し、針に糸をかけます。次の目に針を入れ、

2 表目で編みます。1、2をくり返します。

3 次の段の2目めは、かけた目と一緒に針を入れ、

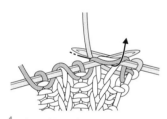

4 表目で編みます。

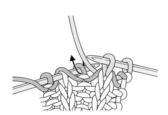

5 次の裏目は編まずに移し、針に糸をかけます。3〜5をくり返します。

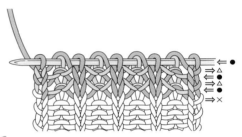

6 イギリスゴム編み（両面引き上げ）を5段編んだところ。

［3目・5段の玉編み］

1目から目を編み出す玉編みです。3目・3段の玉編みも同じ要領で編みます。最後の3目一度は、右上や左上の場合もあります。

1 1目から「表目1目、かけ目、表目1目」を編み出します。

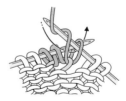

2 編み地を持ち替え、裏を見て裏目を3目編みます。

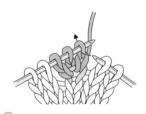

3 編み地を持ち替え、表を見て、

4 表目3目を編みます。さらに、編み地を持ち替え、もう1段裏目を編みます。

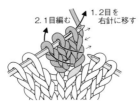

5 右の2目に矢印のように針を入れて移し、3目めを表目で編みます。

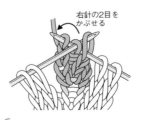

6 移した2目に左針を入れ、3目めにかぶせます。

7 3目・5段の玉編みのできあがり。

Basic Symbols

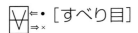 ［すべり目］

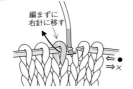

1 糸を向こう側におき、矢印のように針を入れ、目は編まずに右針に移します。

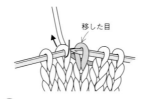

2 次の目に針を入れ、

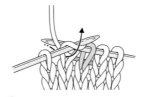

3 表目で編みます。

4 すべり目のできあがり。

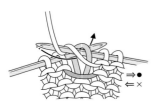

5 次の段は、矢印のように針を入れ、

6 裏目で編みます。

2 段の場合

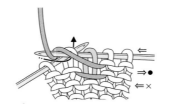

1 裏からの段で糸を手前におき、目は編まずに移し、次の目を裏目で編みます。

2 2段のすべり目のできあがり。

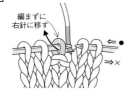 ［裏目のすべり目］

1 糸を向こう側におき、矢印のように針を入れ、目は編まずに右針に移します。

2 次の目に針を入れ、

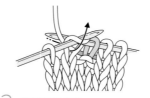

3 表目で編みます。

4 裏目のすべり目のできあがり。

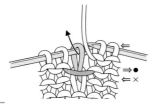

5 次の段は、矢印のように針を入れ、

6 裏目で編みます。

2 段の場合

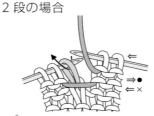

1 裏からの段で糸を手前におき、目は編まずに移し、

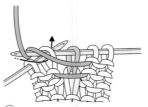

2 次の目を裏目で編みます。

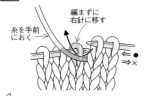 ［浮き目］

1 糸を手前におき、矢印のように針を入れ、目は編まずに右針に移します。

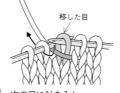

2 次の目に針を入れ、

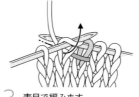

3 表目で編みます。

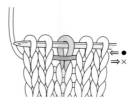

4 浮き目のできあがり。

Basic Symbols

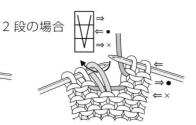

2 段の場合

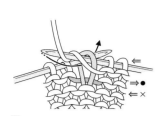

5　次の段は、矢印のように針を入れ、

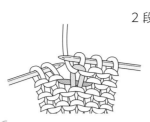

6　裏目で編みます。

1　裏目の段で糸を向こう側におき、目は編まずに移し、

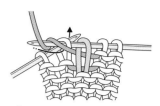

2　次の目を裏目で編みます。

［裏目の浮き目］

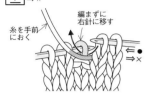

糸を手前におく
編まずに右針に移す

1　糸を手前におき、矢印のように針を入れ、目は編まずに右針に移します。

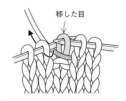

移した目

2　次の目に針を入れ、

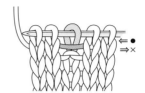

3　表目で編みます。裏目の浮き目のできあがりです。

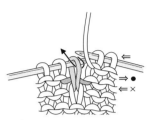

4　次の段は、矢印のように針を入れ、

2 段の場合

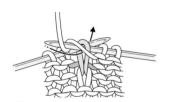

5　針に糸をかけて引き出し、

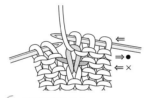

6　裏目で編みます。

7　裏からの段で糸を向こう側におき、目は編まずに移し、

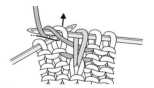

8　次の目を裏目で編みます。

［長編み2目の玉編み（鎖3目の立ち上がり）］

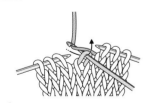

1　手前からかぎ針を入れ、糸をかけて引き出します。

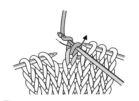

2　立ち上がりの鎖3目を編みます。

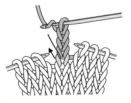

3　針に糸をかけて、編み出した同じ目にかぎ針を入れます。

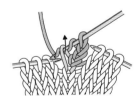

4　針に糸をかけて、糸をゆったりと引き出します。

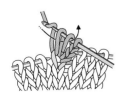

5　針に糸をかけて、針先の2目を引き抜きます（未完成の長編み）。

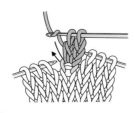

6　未完成の長編みを、もう1目編みます。

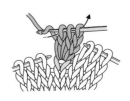

7　かぎ針に糸をかけ、全目を一度に引き抜きます。

8　かぎ針の目を右針に戻し、長編み2目の玉編みのできあがり。

Basic Symbols

[中長編み3目の玉編み（鎖2目の立ち上がり）]

1　手前からかぎ針を入れ、糸を
かけて引き出します。立ち上
がりの鎖2目を編みます。

2　針に糸をかけて最初の目に針
を入れ、

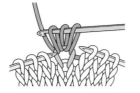

3　未完成の中長編みを編みます。

4　さらに未完成の中長編み2目
を編み、針に糸かけて、全目
を一度に引き抜きます。

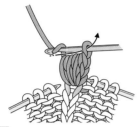

5　もう一度糸をかけて引き抜き、

6　目を引きしめ、右針に移します。

[中長編み3目の玉編み]

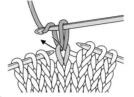

1　手前からかぎ針を入れ、糸を
かけて引き出し、その目をの
ばします。

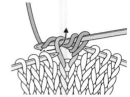

2　未完成の中長編みを編みま
す。

3　未完成の中長編みが1目編め
たところ。

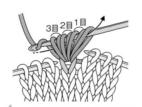

4　さらに未完成の中長編み2目
を編み、針に糸かけて、全目
を一度に引き抜きます。

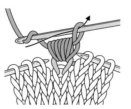

5　もう一度針に糸をかけて引き
抜き、

6　目を引きしめます。かぎ針の
目を右針に移します。

[ドライブ編み（2回巻き）]

1　目に針を入れ、糸を2回巻き
つけて、引き出します。

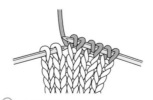

2　目を引き出したところ。

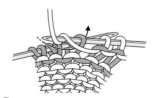

3　次の段は、糸を巻きつけた目
に矢印のように針を入れ、

4　針をはずしながら裏目で編み
ます。

[左目に通すノット（3目の場合）]

1　3目めに針を入れ、矢印のよ
うに右の2目にかぶせます。

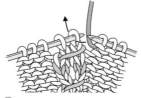

2　かぶせたら針をはずし、1目め
を表目で編みます。

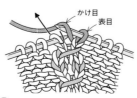

3　次にかけ目をし、2目めを表目
で編みます。

4　左目に通すノット（3目の場
合）のできあがり。

Instructions

ミニマフラー
page 5

［材料と用具］
リッチモア パーセント　水色（25）70g　茶色（100）65g　黄緑（33）65g　縞 茶色（100）30g　山吹色（102）30g
棒針　5号

［できあがり寸法］　図参照
＊撮影の飾り用に作成したものなので、実際に使用するには少し短い仕上がりになっています。お好みの長さに編んでご使用下さい。

［編み方］
指でかける作り目をして編み始め、それぞれ模様編みまたは、メリヤス編み縞で編み、編み終わりは伏せ止めます。
黄緑のマフラー は、表目は裏目に、裏目は表目に編みながら伏せ止めます。

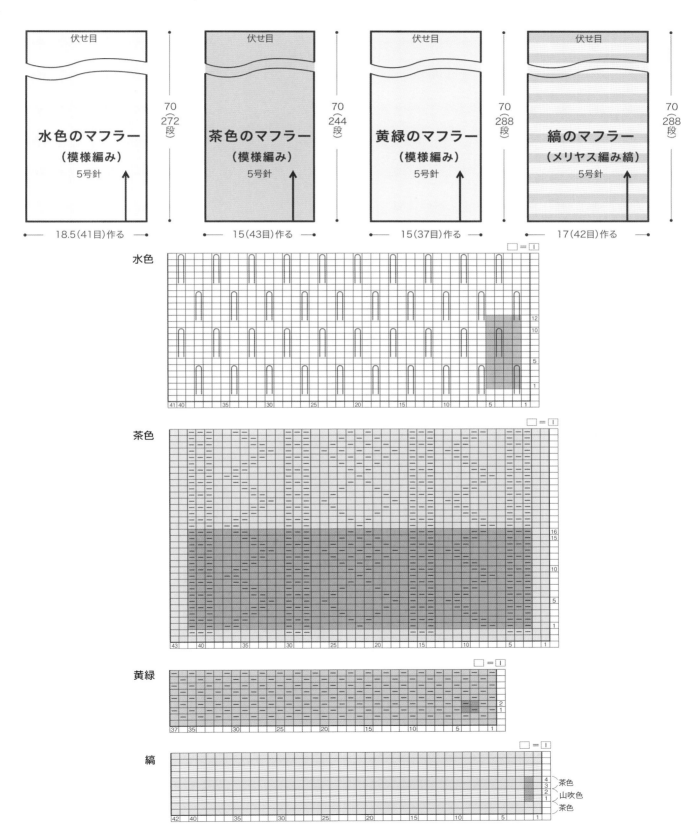

117

Chart & Instructions

ミニストール
page 25

[材料と用具]
パピー コットンコナ　黒（18）115g　棒針　4号
[できあがり寸法]　幅 16cm　長さ 160cm
[編み方]
指でかける作り目をして編み始め、模様編みで編みます。編み終わりは休み目にし、メリヤスはぎで合わせます。

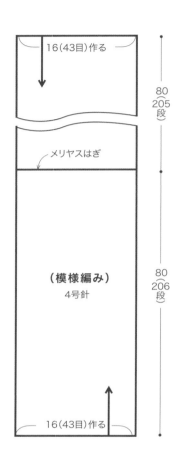

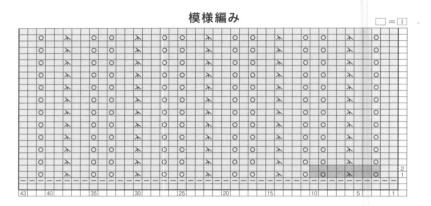

模様編み

no.64
page 48

no.63
page 48

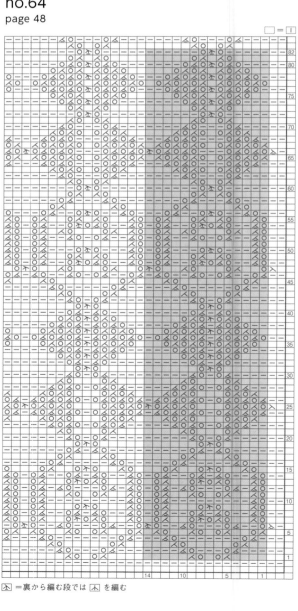

⚒ =裏から編む段では ⚒ を編む

⚒ =裏から編む段では ⚒ を編む

Instructions

ミトン
page 53

[材料と用具]
リッチモア パーセント　赤（74）60g　棒針　5号、3号　かぎ針 4/0 号
[できあがり寸法]　手のひら回り 18cm　丈 24.5cm
[編み方]
指でかける作り目をして編み始め、2目ゴム編み、裏メリヤス編み、模様編みで編みます。親指位置には別糸を編み入れておきます。
記号図を参照して指先の減目をし、編み終わりは全目に糸を通して絞ります。
親指は親指位置の別糸をほどいて目を拾い、裏メリヤス編みで編み、編み終わりは全目に糸を通して絞ります。

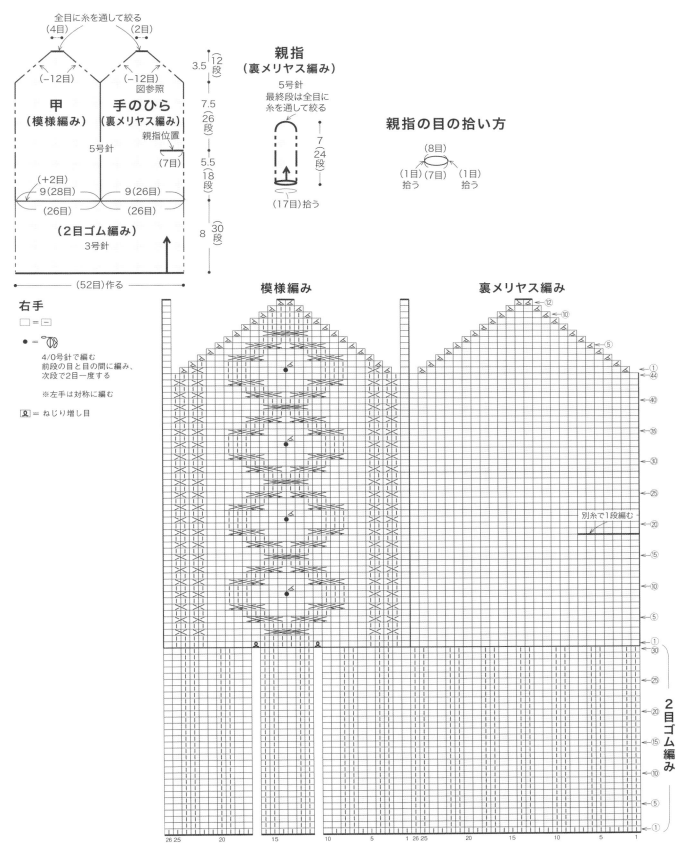

親指
（裏メリヤス編み）

親指の目の拾い方

右手

□ = －

● = 4/0号針で編む
前段の目と目の間に編み、
次段で2目一度する

※左手は対称に編む

② = ねじり増し目

模様編み

裏メリヤス編み

別糸で1段編む

2目ゴム編み

119

Instructions

靴下
page 87

[材料と用具]
リッチモア パーセント　茶色（100）80g　黄緑（33）10g　山吹色（102）5g　棒針　4号、3号
[できあがり寸法]　底丈 23.5cm　丈 29cm
[編み方]
指でかける作り目をして編み始め、模様編みA・B、メリヤス編みでわに編みます。かかと位置は別糸を編み入れておきます。
かかとは、別糸をほどいて目を拾い、メリヤス編みで編みます。つま先、かかととも編み終わりはメリヤスはぎで合わせます。

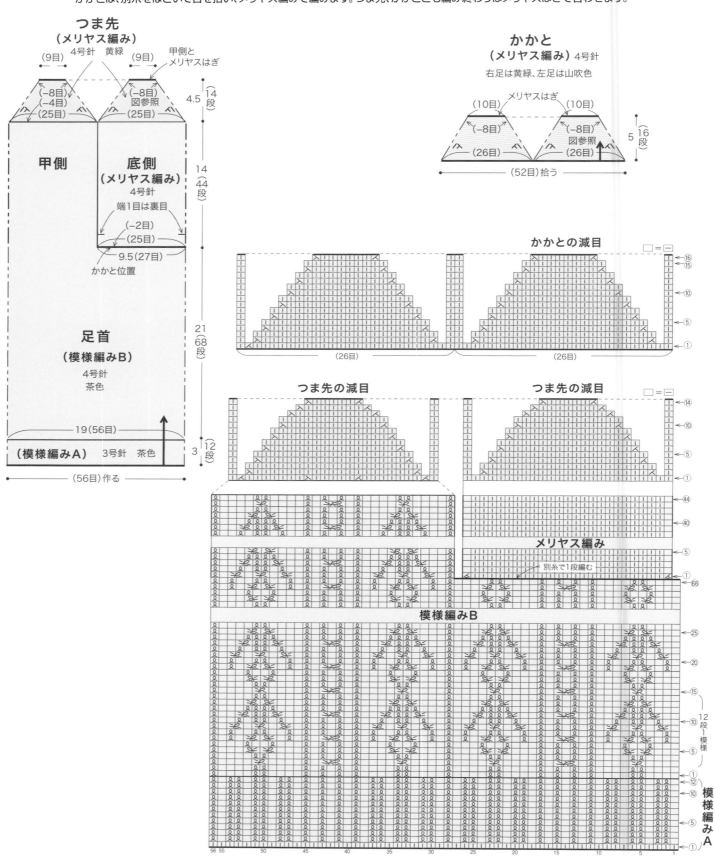

120 KAZEKOBO'S FAVORITE「PATTERNS」

Chart

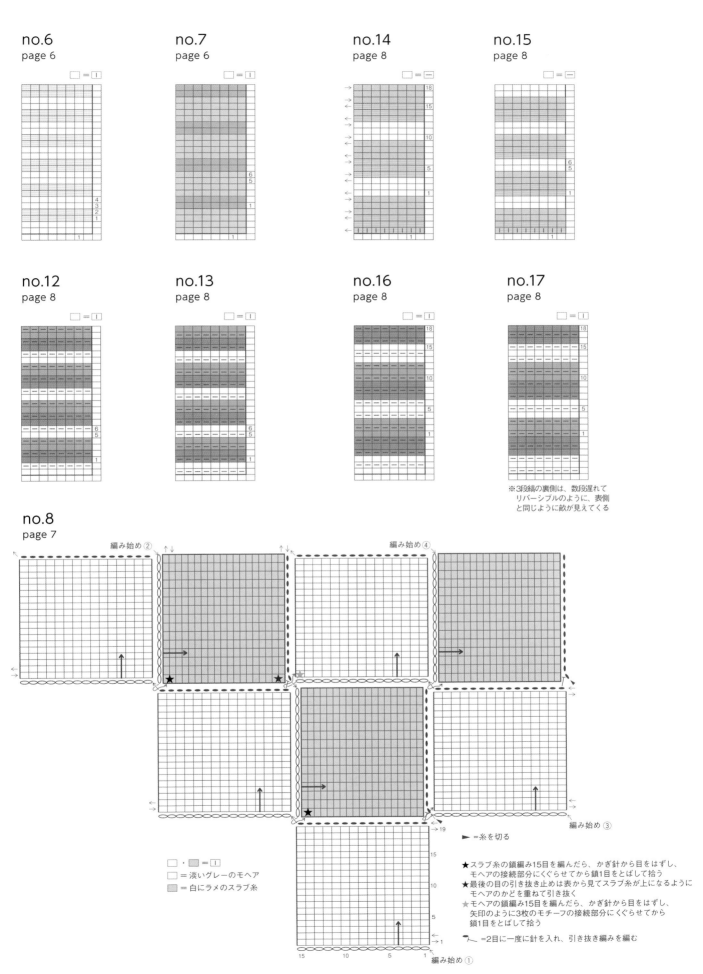

no.6
page 6

no.7
page 6

no.14
page 8

no.15
page 8

no.12
page 8

no.13
page 8

no.16
page 8

no.17
page 8

※3段縞の裏側は、数段遅れて
リバーシブルのように、表側
と同じように畝が見えてくる

no.8
page 7

編み始め②

編み始め④

編み始め③

→19

15

10

5

1

15   10   5   1

編み始め①

▶ =糸を切る

★スラブ糸の鎖編み15目を編んだら、かぎ針から目をはずし、
モヘアの接続部分にくぐらせてから鎖1目をとばして拾う

★最後の目の引き抜き止めは表から見てスラブ糸が上になるように
モヘアのかどを重ねて引き抜く

★モヘアの鎖編み15目を編んだら、かぎ針から目をはずし、
矢印のように3枚のモチーフの接続部分にくぐらせてから
鎖1目をとばして拾う

▶ =2目に一度に針を入れ、引き抜き編みを編む

☐・▨ =☐

☐ = 淡いグレーのモヘア

▨ = 白にラメのスラブ糸

Chart

no.18
page 9

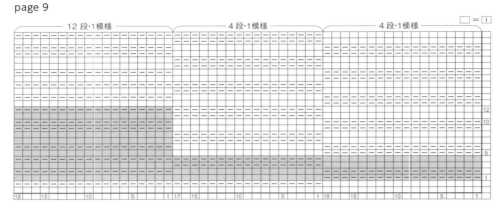

no.33
page 15

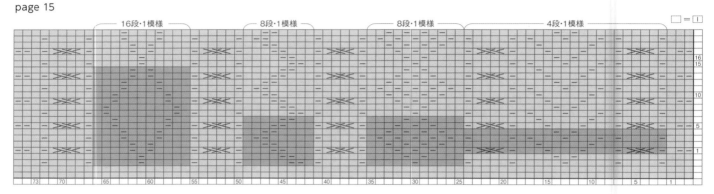

no.23
page 11

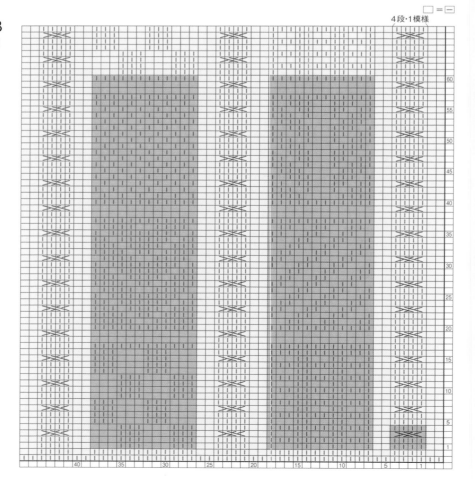

Chart

no.32
page 14

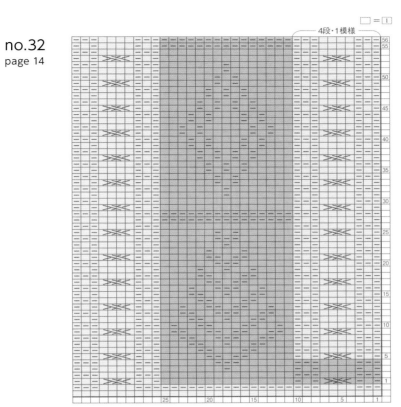

4段・1模様

□ = ⊡

56
55

50

45

40

35

30

25

20

15

10

5

1

25   20   15   10   5   1

no.37
page 19

□ = ⊡

8

5

1

28

25

20

15

10

5

1

2
1

28   25   20   15   10   5   1

Chart

no.50
page 43

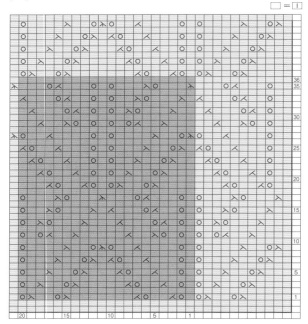

no.51
page 43

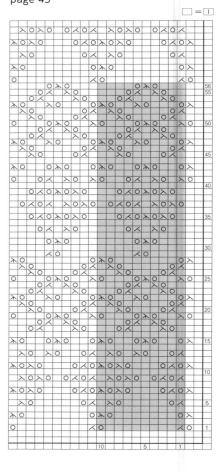

no.62
page 47

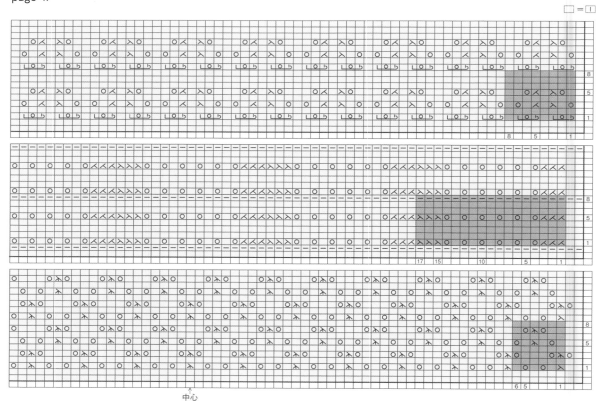

Chart

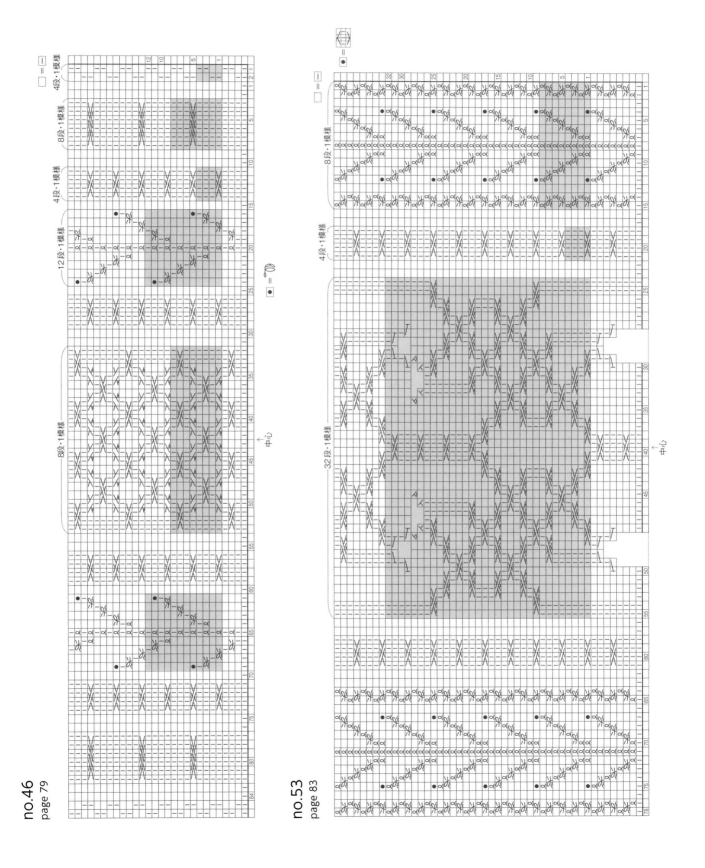

no.46
page 79

no.53
page 83

Chart

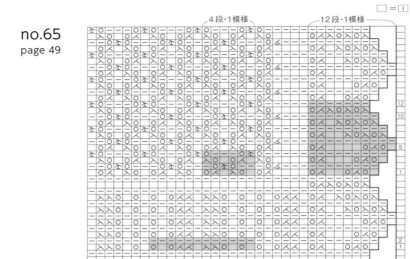

no.65
page 49

☒ =裏から編む段では ☒ を編む

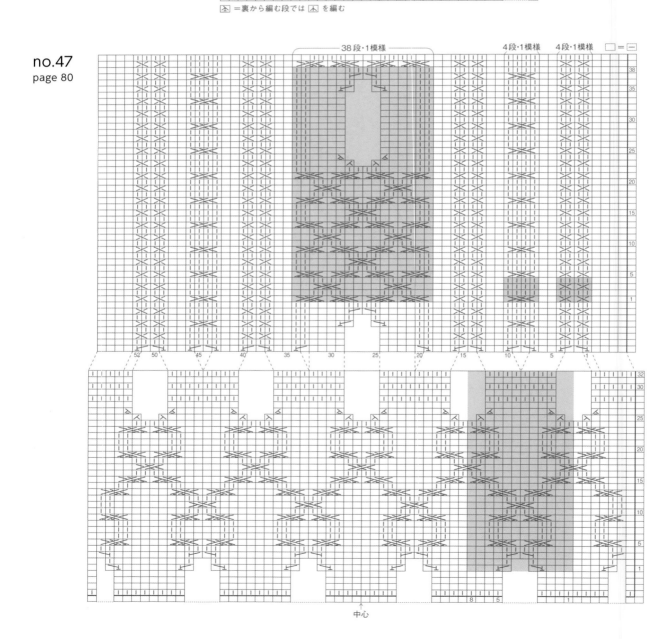

no.47
page 80

中心

Chart

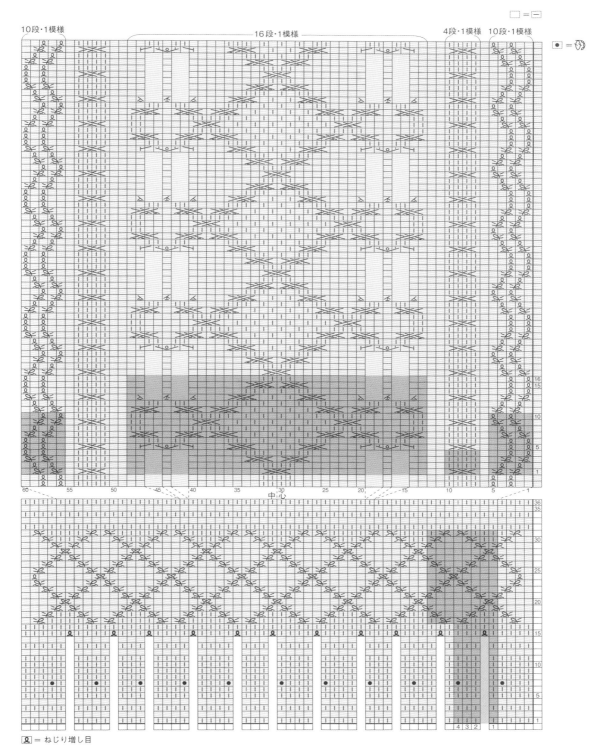

no.48
page 81

🝔 = ねじり増し目

本書で使用した糸の一覧

Knit & Purl…パピー＝シェットランド、チャビー、スパングルコットン、キッドモヘアファイン、コットンコナ、プリンセスアニー
リッチモア＝パーセント、ルナール、エクセレントモヘア〈カウント10〉、トッピングモール、スピンゴールドテープ〈プリント〉、
コットンウールパフ　オリムパス＝ブルーム、スフレ
Lace…パピー＝コットンコナ　ジェミーソン＆スミス＝2ply
Cable & Aran…パピー＝シェットランド、ブリティッシュ エロイカ、クイーンアニー　リッチモア＝パーセント
Rib & Twist…リッチモア＝パーセント

KAZEKOBO 風工房

武蔵野美術大学で舞台美術デザインを学ぶ。20代より、毛糸だまをはじめ、多くの手芸誌に作品を発表。繊細なレース編みから多色使いの編み込み模様まで、マルチプレイヤーとして常に第一線で活躍。近年は、国内にとどまらず、欧米にも活躍の場を広げている。
著書／「麗しのレース」「風工房のクロッシェレース」「風工房の小さなクロッシェレース」「風工房のフェアアイルニット」「はじめてのクロッシェレース」「風工房のお気に入り モチーフ150」(いずれも小社刊)
ほか多数
www.kazekobo.net(英語版)

参考文献
「A Treasury of Knitting Patterns」
by Barbara G. Walker
「A Second Treasury of Knitting Patterns」
by Barbara G. Walker
「Charted Knitting Designs」
by Barbara G. Walker
「Patterns for Guernseys, Jerseys & Arans」
by Gladys Thompson／Dover Publications, Inc.
「Heirloom Knitting」
by Sharon Miller／Shetland Times Ltd.

staff

撮影／森谷則秋
ブックデザイン／寺山文恵
トレース／フリッパーデザインスタジオ
編集協力／石原賞子　村木美佐子　栗原千江子　西村知子　土谷江美子　茂木三紀子
製作／須藤晃代　早川靖子
編集・進行／小林美穂
編集担当／毛糸だま編集部　曽我圭子

素材提供

オリムパス製絲株式会社　http://www.olympus-thread.com
〒461-0018　名古屋市東区主税町4-92　TEL 052-931-6679
〒111-0053　東京都台東区浅草橋5-4-1 ツバメグロースビル7F　TEL 03-3862-0481
ハマナカ株式会社 リッチモア販売部　http://www.richmore.jp
〒616-8585　京都市右京区花園薮ノ下町2-3　TEL 075-463-5151(代表)
〒103-0007　東京都日本橋浜町1-11-10　TEL03-3864-5151(代表)
株式会社ダイドーインターナショナル パピー事業部　http://www.puppyarn.com
〒101-8619　東京都千代田区外神田3-1-16 ダイドーリミテッドビル3F　TEL 03-3257-7135

あなたに感謝しております…We are grateful.

手づくりの大好きなあなたが、この本をお選びくださいましてありがとうございます。
内容の方はいかがでしたでしょうか？　本書が少しでもお役に立てれば、こんなにもうれしいことはありません。
日本ヴォーグ社では、手づくりを愛する方とのおつき合いを大切にし、ご要望におこたえする商品、サービスの実現を常に目標としています。
小社及び出版物について、何かお気付きの点やご意見がございましたら、何なりとお申し出ください。そういうあなたに、私共は常に感謝しております。

株式会社日本ヴォーグ社社長　瀬戸信昭　FAX 03-3269-7874

風工房のお気に入り　棒針模様200

発行日／2012年12月31日
発行人／瀬戸信昭　編集人／森岡圭介
発行所／株式会社 日本ヴォーグ社
〒162-8705　東京都新宿区市谷本村町3-23
TEL／販売 03(5261)5081　編集 03(5261)5084
振替／00170-4-9877
出版受注センター　TEL／03(6324)1155　FAX／03(6324)1313
印刷所／共同印刷株式会社
Printed in Japan　©KAZEKOBO 2012
ISBN978-4-529-05154-5 C5077

立ち読みもできるウェブサイト「日本ヴォーグ社の本」
http://book.nihonvogue.co.jp/

詳しい資料・図書目録を無料でお送りします。

内　容	ホームページ	電　話
通信販売	http://book.nihonvogue.co.jp/needle/index.jsp	0120-789-351 9:00〜17:00日・祝休
通信講座	http://school.nihonvogue.co.jp/tsushin/	
出版物	図書目録の内容も見られます。 http://book.nihonvogue.co.jp/	
クラフトサークル	6つのクラフトサークルをおすすめします。 http://school.nihonvogue.co.jp/craft/	0120-247-879 9:30〜17:30土・日・祝休
ヴォーグ学園	http://gakuen.nihonvogue.co.jp/	03-5261-5085
自費出版	http://book.nihonvogue.co.jp/self/index.jsp	03-5261-5139

ファクシミリはこちら ▷▷ 03-3269-7874
便利な入り口はこちら ▷▷ http://www.tezukuritown.com/　[手づくりタウン] [検索]